SANTIAGO
de Compostela
ESCALA GRAFICA

0 — 50 — 75 — 100

Convento de Belvis

Colegiata de Sta. María del Sar

D1550218

Trompas

de Rivera Gral.

Convento

Pelijo

Aranda

San Fiz de Solovio

Pl. Félix

Castro

Universidad

Fuente Seca

I. N. E. M.

Compañía

Pl. de la Universidad

Pl. del Instituto

Arco de Mazarelos

Calderería

de Cruz

Rúa

Trant. Salomé

Huérfanas

Sta. María Salomé

Nueva

el Deán

Oficina Turismo

niña

Villar

Tr. Fonseca

Campo de Entrecercas

Av. Rodrigo Padrón

Franco

Peso

Colegio de San Clemente

Pomba

Cardenal Payá

Pelijo

Convento

Castrón

Mazarelos

Patio de Madres

García Blanca

Calvo

Concepción Arenal

Sotelo

Neira de Mosquera

Pérez Constanti

Pitelos

Chllón Pitelos

A ORENSE 110 KMS.

Pl. de Vigo

General

Franco

Gómez Ulla

J. Entre Ruas

Pl. Contón Toral

Pl. del Toral

Pl. de Fuenterrabía

Entre Murallas

Entre Carreteras

Bautizados

Gral.

Montero

Dtor.

Teijeiro

Pta. Faxeira la Perla

Hotel

Mola

Ríos

Av. de Figueroa

Martigazi Andiño

Carrera del Conde

Cljón. de Matacanes

General

Pardiñas

« L'Apôtre, fin, courtois, accueille les pèlerins sur le Portique de la Gloire...» (Otero Pedrayo.) ▶

SECONDE EDITION

© by EDITORIAL EVEREST, S. A.
Carretera León-Coruña, km 5 - LEÓN (Espagne)
ISBN 84-241-**4270**–**5**
Dépôt légal: LE-**1076**-**1980**

Imprimé en Espagne

EVERGRÁFICAS, S. A. - Carretera León-Coruña, km 5 - LEÓN (Espagne)

LE CHEMIN DE SAINT-JACQUES

Textes: EUSEBIO GOICOECHEA ARRONDO
De l'Association:
«Los Amigos del Camino de
Santiago»

Photographies: Eusebio Goicoechea Arrondo
Oronoz
Francisco Díez
Manuel Viñayo
Nistal
Juan M. Ruiz
Ciganovic
Luis Pastrana
Armando Ramos
Archivo Everest

Réalisation artistique: Carlos J. Taranilla

EDITORIAL EVEREST, S. A.
MADRID ● LEÓN ● BARCELONA ● SEVILLA ● GRANADA ● VALEN-
CIA ● ZARAGOZA ● BILBAO ● LAS PALMAS DE GRAN CANARIA
LA CORUÑA ● PALMA DE MALLORCA – MÉXICO ● BUENOS AIRES

PROLOGUE

Parmi les itinéraires touristiques modernes on ne peut ni ne doit omettre le Chemin de St. Jacques. Il a été et doit être la première Route d'Europe.

L'Editorial EVEREST a vu remarquablement juste en découvrant l'importance touristique —outre l'importance artistique et religieuse— que revêt ce Chemin de St. Jacques, qui a été l'origine de la «Première Voie Touristique d'Europe». C'eut été une grave erreur que de ne pas inclure ce manuel dans une collection de Guides Touristiques.

Car c'est par ce Chemin que sont venus en Espagne des millions d'Européens, d'Africains et d'Asiatiques; c'est ce Chemin qui a été véhicule d'art et de culture, de commerce et de progrès; ce Chemin qui a tant contribué à l'union de l'Europe, sous le dénominateur commun de la Culture Occidentale —qui n'est pas autre chose que le christianisme—; et ce Chemin millénaire, grâce à l'effort de tous, doit être sans cesse renouvelé et rajeuni. Ce n'est pas quelque chose de vieux que l'on jette, mais quelque chose d'ancien que l'on garde avec vénération. Nombreuses sont les richesses de tout ordre qu'il peut nous révéler..., et l'une des plus grandes, dans cette époque de matérialisme, et de nous mettre en contact avec de nobles idéaux qui élèvent et spiritualisent l'homme moderne.

Eusebio Goicoechea Arrondo, son auteur, connait bien le Chemin, ses itinéraires physiques, ses sentiers artistiques et ses méandres spirituels. Ce travail est le fruit d'une préparation et d'un effort tenace; l'auteur l'a parcouru une vingtaine de fois, appareil de photos en bandoulière, et ses pieds fatigués chaussés de grosses bottes. Ce livre est un résumé d'un ouvrage plus vaste et plus complet que «Les Amis du Chemin de St. Jacques d'Estella», nous avons achevé et qui paraîtra cette année, Année Sainte Jubilaire de Compostelle. Notre oeuvre complète comprend:

a) trois séries audiovisuelles avec un total de 252 diapositives en couleur; des commentaires historico-artistiques, enregistrés sur bande magnétophonique, synchronisée avec les diapositives, et l'attrait d'un fond musical qui constitue à la fois un document sonore par sa valeur et son choix minutieux.

b) un livre où l'on explique l'histoire du pèlerinage, l'art du pèlerinage et les chemins du pèlerinage.

c) des Cartes du Chemin en 32 pages, éditées pour la première fois afin de guider ceux qui désirent le parcourir à pied ou le suivre aussi fidélement que possible en automobile.

Puissent ces deux oeuvres —celle que je viens de vous indiquer et ce guide que l'Editorial Everest a si justement inclus dans son admirable Collection—, atteindre leur but touristique et religieux et nous inciter à nous mettre en route vers Compostelle!

FRANCISCO BERUETE

Président des «*Amis du Chemin de St. Jacques*» d'Estella

HISTOIRE DU PELERINAGE

ALLER EN PELERINAGE

Un **pèlerinage** est un voyage vers un lieu saint où se manifeste de façon particulière la présence d'un pouvoir surnaturel.

Les lieux de pèlerinage existent *depuis la préhistoire*: Mathura et Benares pour les hindous; le sépulcre de Confucius pour les chinois; Delphe et Olympie pour le monde grec; Jérusalem pour les hébreux; la Mecque et le tombeau de Mahomet à Medina pour les musulmans.

Les *premiers chrétiens* ont professé une dévotion toute particulière concernant les Lieux Saints, sanctifiés par Jésus Christ, et à l'égard des Saints Martyrs, en particulier de ceux qui ont le plus approché le Maître: Pierre, Jacques, Andrés... Jérusalem, Rome et St. Jacques de Compostelle sont les trois sommets du grand triangle médiéval, but préféré des pèlerinages chrétiens.

UN SEPULCRE

Hérode Agripa «de son épée, ôta la vie à Jacques, frère de Jean», selon St. Luc.

Ses disciples transportent les précieuses reliques jusqu'en Espagne, à Iria Flavia, aujourd'hui Padrón, sur les côtes galiciennes, et les déposent finalement dans un endroit qui deviendra des siècles plus tard St. Jacques de Compostelle.

Ce sont les guerres incessantes et l'invasion des barbares qui obligèrent les chrétiens à cacher ses reliques, dont le souvenir s'estompe avec les siècles.

Au IXème, à la suite de signes miraculeux, on découvre son sanctuaire. La nouvelle vole à travers toute la Castille, saute les Pyrénées et déferle sur l'Europe entière. L'histoire de l'Espagne, et même celle de l'Europe sont en grande partie conditionnées par cet événement.

Au milieu du IXème s. la nouvelle apparait dans des Martyrologues, hors d'Espagne, et son écho nous est transmis par le poète arabe Algazel, qui en 845, appelle St. Jacques de Compostelle «la Kaaba des chrétiens».

Les dernières fouilles archéologiques effectuées depuis 1946, sous la cathédrale de St. Jacques, corroborent scientifiquement les données historiques sur le sépulcre de l'Apôtre et son authenticité. Au XXème s. on découvre avec stupeur et étonnement les tombeaux romains et les murs de la même époque; une nécropole paléochré-

Jérusalem. But primordial et préféré des pélerinages chrétiens.

Rome. Puissant foyer d'attraction pour les pélerins du monde entier vers le tombeau de Saint-Pierre.

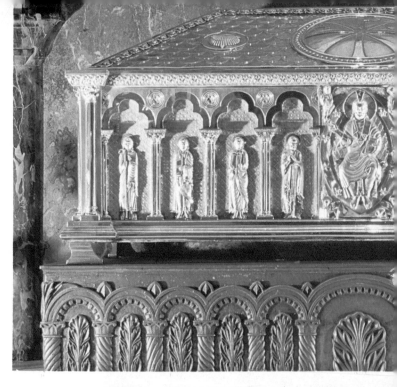

Pierre tombale de
Teodomiro,
trouvée lors des
dernières fouilles
de la cathédrale
de Compostelle.

Saint-Jacques de Compostelle. Reliquaire de l'Apôtre. Le « Saint des saints » Compostelle.

tienne, des sarcophages suèves et les restes de l'église construite au
IX ^{eme} s. par Alphonse III; la pierre tombale de Théodemir. Evêque
de Iria Flavia lors de la découverte du sépulcre de l'Apôtre. Cette
pierre tombale de Théodemir sape à la base les arguments portés
par des critiques sévères contre l'authenticité des reliques.

Ce sépulcre est l'origine et le but des pèlerinages à St. Jacques.

Même si pour un instant on oublie toutes les preuves documentaires et archéologiques en faveur de son authenticité, un fait historique demeure indiscutable: **les pèlerinages à St. Jacques,** qui par
leur énorme poids historique, sont une page importante et indélébile
du livre de l'histoire. Ce ne serait pas le propre d'un être rationnel
que de nier ou dénigrer l'existence et l'influence des pèlerinages;
sous prétexte du manque de documents prouvant l'authenticité des
reliques de l'Apôtre. La foi et les sacrifices de milliers de pèlerins
qui ont parcouru le Chemin de St. Jacques et l'art et le développement
culturel et économique que le pèlerinage a engendrés, ont fait de
Compostelle et de son Chemin, un lieu sacré et un fait de transcendance historique et artistique incontestable.

PELERINS

On ne comprend pas, aujourd'hui, l'émotion universelle qu'a
produite la découverte des reliques de St. Jacques. Pour l'esprit
médiéval les reliques supposaient un trésor, un talisman. L'homme
du Moyen Age, profondément religieux, considérait la vie comme
une recherche de Dieu, à la fois ardente et angoissée, qui est souvent
sa raison d'être. Les reliques étaient pour lui un lien presque matériel avec la divinité, avec son salut. Sans cette idée, il est impossible
de comprendre à fond le fait historique et transcendant des pèlerinages.

Gotescalque, évêque français, est le premier pèlerin connu qui
arrive à Compostelle. Fernán González, le Cid, Louis VII de France, Edouard I d'Angleterre, Jean de Brienne —Roi de Jérusalem—,
la princesse suédoise Ingrid, Isabelle de Portugal, un archevêque
de Nínive, les pèlerins de Liège —conduits par Robert en 1056—,
ceux qui partirent de Dantzig en 1378, le peintre flamand Van Eyck,
Domingo de Guzmán, Raimundo Lulio, Jean d'Autriche, les rois
Catholiques, Charles V, Philippe II..., Jean XXIII en 1908, puis en
1954 étant Nonce Apostolique à Paris, et tant d'autres pèlerins anonymes... sont autant d'étoiles lumineuses qui ont formé sur les coteaux de l'Europe ce Chemin de St. Jacques, émule et reflet de son
autre route soeur, la galaxie resplendissante de la Voie Lactée.

Un Pape —successeur de St. Pierre— mettra peut-être la dernière touche en venant visiter St. Jacques de Compostelle… L'invitation espagnole ne date pas seulement d'aujourd'hui: elle est beaucoup plus ancienne que l'on ne pourrait croire, car elle figurait déjà dans une chanson de pèlerins, une «chanson d'aveugle»: le «alalá», cri typiquement celte, a traversé l'Espagne pour parvenir humblement au Pape et l'inviter au Jubilé ou Année Sainte de St. Jacques de Compostelle:

«O alalá je fus à Rome
o alalá j'y fus et je m'en revins;
je m'en fus lui dire au Père Saint
qu'il vienne au jubilé»

Et l'Espagne entière, comme un immense choeur grec, répond par un refrain sonore: «Amen. Tel est notre souhait. Ainsi soit-il.»

HABIT DU PELERIN

L'estampe classique du pèlerin apparaît dans maintes représentations sculpturales et picturales tout au long du Chemin de St. Jacques, dans des oeuvres littéraires et des chantes des pèlerins.

Chapeau à large bord pour se protéger du soleil et de la pluie.

Large manteau avec pèlerine pour lutter contre le froid et la neige.

Grosses chaussures car long est le voyage et difficile la marche.

Bourdon solide sur lequel il prendra appui dans les passages difficiles et les moments de fatigue, et auquel il aura recours contre les chiens et les bêtes.

Accrochée au bourdon ou à la ceinture, la **gourde** qui gardera à l'eau toute sa fraîcheureet au vin toute sa vigueur pour la route.

Panetière ou escarcelle, où il garde sa nourriture ou sa réserve de ducats et de maravedis.

Comme insigne, ils portaient sur le chapeau, la pèlerine ou l'escarcelle, la **coquille St. Jacques**…

ASSISTANCE AU PELERIN

Tout un réseau d'assistance au pèlerin a couvert les chemins qui mènent à Compostelle.

L'assistance religieuse était assurée dans les églises, les ermitages, les monastères, et les cathédrales.

L'assistance juridique consistait en la création de lois protégeant les pèlerins des voleurs, des aubergistes et des seigneurs féodaux.

L'assistance hospitalière avait créé des hôtelleries, des hôpitaux et des cimetières afin de pouvoir faire face à tous les besoins. Souvent, on avait à l'égard du pèlerin des attentions délicates et raffinées propres à notre temps: il était rasé à la lame, ses cheveux étaient coupés, on lui fournissait de l'eau chaude pour «échauder» son linge et même pour qu'il fasse sa toilette ou se baigne; en hiver, on faisait du feu... L'ordonnance de la Confrérie des Cordonniers de St. Martin, à Astorga, permettait le travail le dimanche, s'il s'agissait de réparer les chaussures des pèlerins.

Les repas étaient copieux et gratuits: outre le pain, le vin, les fromages, les viandes, les légumes verts et les poissons, dans les «guides» on parle de pot-au-feu et d'oeufs; de bouillon à El Cebrero (Galice); de morue à Pampelune; et de sidre au pays basque, en Asturies et en Galice... S'ils tombaient malades, on leur portait des soins jusqu'à ce qu'ils guérissent; s'ils venaient à mourir, il y avait des cimetières où ils étaient dignement enterrés assistés obligatoirement des confrères ou chapîtres.

L'assistance technique consistait à améliorer les Chemins, à construire des ponts, à aménager les passages montagneux, souvent par des travaux ingénieux: à Arbas, Puerto de Pajares, on ouvrait un passage dans la neige «par en-dessous, en formant des voûtes et en ouvrant le chemin, profond d'environ deux ou trois aunes, sans que l'on arrive pour autant jusqu'à la terre»... Il ne fait aucun doute que les tunnels actuels en ciment qui servent au passage de la voie ferrée à Pajares, ne sont pas une idée aussi originale et moderne que cela puisse paraître...! Les Ordres de St. Jacques et du Temple surveillaient les Chemins, même militairement, afin d'assurer la protection des Pèlerins sans défense. Dans le cadre de cette assistance technique, le Guide des Pèlerins du XIIeme siècle fut d'un très grand secours durant la longue marche jusqu'à Compostelle.

LE PREMIER GUIDE TOURISTIQUE ET LA PREMIERE AGENCE DE VOYAGES

Le précieux petit manuscrit intitulé «Codex Calixtinus» de la première moitié du XIIeme s., conservé dans les Archives de la Cathédrale de Compostelle peut recevoir dignement le titre de **PREMIER GUIDE TOURISTIQUE D'EUROPE.** Dans son livre V, dont l'auteur ou le compilateur est croit-on le français Aimerico Picaud, il y a une description de la route religieuse et touristique qui fut appelée «Chemin français». On nous y indique les étapes, les distances, les villages, les sanctuaires et les monuments sur le trajet, ainsi que les renseignements sur la gastronomie et la potabilité des eaax. ce

Burgos. Porte de l'église de l'Hospital del Rey, poème authentique du pélerinage. ▶

qui était alors de la plus grande utilité. Par exemple, il ne faut pas boire l'eau du Salado (Navarre), car elle est mortifère. On nous dit aussi que l'eau d'Estella est très saine, bonne et agréable; et il est curieux de constater que ce fait a été corroboré huit siècles plus tard par l'Institut provincial de Santé de la Navarre.

Il y figure aussi des indications précises et précieuses sur le caractère et les coutumes, des peuples: le petit vocabulaire basque que transcrit ce «Codex Calixtinus» est précisément le premier témoignage écrit de cette langue; les qualités des vins de la Rioja et du Bierzo y sont également indiquées.

Il est évident qu'a plusieurs reprises Aimerico Picaud ne dément pas sa condition, son penchant de français: le souvenir amer de la défaite carolingienne aux mains des Basques répand son fiel sur les terres et le caractère des Navarrais. Sa patrie française (concrètement la Saintonge) est, en revanche, «la meilleure du monde». Les chants des Pèlerins renferment ce même sentiment: «le meilleur pays du monde», dit l'un d'eux. Et on applique à l'Espagne —bien qu'avec une nuance péjorative— le slogan touristique moderne —par conséquent pas si moderne!—: «España es diferente»: «C'est un étrange pays.»

L'Ordre de Cluny a mis au point l'organisation technique du pèlerinage et a été la source d'inspiration du «Guide du Codex Calixtinus». En réalité, cet Ordre a été la **première Agence de Propagande** d'Europe.

PICARESQUE DU PELERINAGE

Tout n'était pas digne de foi. Face à la charité, les pèlerinages ont engendré l'exploitation, parfois même organisée, les mauvais traitements et les mauvais arts. Les astuces auxquelles avaient recours les aubergistes sont les dignes soeurs de la plus exquise des picaresque des rufians et des gueux: ils leur faisaient goûter un vin excellent et ensuite leur vendaient le plus mauvais «tournant déjà au vinaigre». Avant de tirer le vin ils mettaient de l'eau dans le pot. Ils utilisaient de fausses mesures, en particulier les «marsicias» qui servaient pour le vin et l'avoine et qui, tout en paraissant énormes de l'extérieur, avaient en fait une faible capacité. Parfois ils les saoûlaient ou leur servaient des boissons qui les endormaient pour les dévaliser aisément. Lorsqu'il y avait une foule de pèlerins à Compostelle, surtout lors des Jubilés, ils exigeaient d'eux des primes pour la réservation de chambre, qu'ils donnaient ensuite à un autre s'il offrait plus que le premier. Le privilège d'Estella de 1164 et celui de Burgos contiennent beaucoup de mesures pour protéger les pelerins contre les vols dans les auberges.

Près de la «Camara Santa» d'Oviedo, le cimetière des pèlerins.

L'ART DANS LE PELERINAGE

L'art roman est «l'art du pèlerinage». Les pèlerinages et l'Ordre de Cluny ont contribué de façon décisive à sa diffusion, en faisant de lui un art sans frontière, un art international.

Architecture.—Les besoins du pèlerinage ont fait naître un type particulier d'architecture qui se répète tout au long du Chemin. Ces «églises de pèlerinage» présentent, dans leur ensemble, une solution heureuse au problème de l'accueil des foules et de leur aisé déplacement afin de vénérer les diverses reliques qui y étaient déposées. Les tribunes donnant accès à l'intérieur de la nef, sur toute sa longueur, et le déambulatoire avec une couronne de chapelles radiales, permettent le déplacement continu des foules.

Sculpture.—Dans l'art roman, la sculpture a avant tout un sens didactique, d'enseignement religieux, de façon directe ou à travers des symbolismes. L'art roman est beaucoup plus profond que l'on ne croit généralement; mais, il faut pénétrer dans le sens de ses symbolismes pour pouvoir comprendre et aimer pleinement sa beauté et sa profondeur d'expression. C'est la figure humaine qui y domine. Cette sculpture s'étend et offre ses meilleures créations dans les églises —frontispices et chapiteaux— et dans les cloîtres —chapiteaux et piliers angulaires—, sans que l'on déprécie pour autant la variété et la fine touche humoristique qui se dégagent des modillons et des impostes.

Peinture.—La peinture romane —de même que la sculpture— est principalement orientée vers l'instruction religieuse. La fonction décorative l'emporte sur le naturalisme des figures et tend vers la schématisation et le hiératisme de la couronne. C'est l'Espagne qui a produit les exemples les plus précieux de la peinture romane, héritière de nos écoles renommées de manuscrits peints en miniature et des ivoires. Sur le Chemin de Compostelle nous trouvons les peintures du Panthéon de St. Isidore de Léon, appelé à juste titre «La Chapelle Sixtine du roman».

Musique.—Il ne pouvait manquer dans l'énumération universelle de l'art sur le Chemin de St. Jacques, la musique qui commence là où finissent les autres arts. Le chant de la foule et l'harmonie ou la polyphonie, portent dans leurs mêmes entrailles un méssage d'union et de concorde.

St. Augustin et St. Isidore affirment que le chant de la foule crée l'idée de communion.

Comme le dit don José Miguel Ruiz Morales, «c'est en marchant et en **chantant** que s'est faite véritablement l'unité de l'Europe et c'est ce qui s'est passé sur les Chemins qui menaient à Compostelle».

Le **«Codex Calixtinus»** constitue le premier recueil de chants du

Tours de l'Obradoïro, retable en pierre et arc triomphal en l'honneur
de Saint-Jacques.

San Martín de Frómista. Bel exemple de la beauté de l'art roman et modèle de ses diverses façons de s'exprimer (11e siècle).

Madrid. Musée Lázaro Galdiano. «Translation du corps de Saint
Jacques», tableau du Maestro de Astorga (16 siècle).

pèlerinage et un des monuments musicaux les plus importants. On remarque parmi eux le chant des pèlerins «Dum Paterfamilias», plus connu sous le nom de «Ultreia»; et le «Congaudeant catholici», qui est la composition pour trois voix, «la plus scientifique parmi celles connues de l'Europe médiévale» (Higinio Anglés) et cela va sans dire la plus ancienne que l'on connaisse. Alphonse X le Sage a traité dans plusieurs de ses «Chansons» les thèmes de St. Jacques, louant les miracles de la Vierge parmi les pèlerins dans deux de Ses sanctuaires situés sur le Chemin: Villarsirga et la Vierge du Manzano. A Moissac on a recueilli **des chants de pèlerins dans une collection** comprenant ceux qui étaient les plus chantés et préférés de ceux-ci, tel que le «Grand Chant», composition fort connue qui indique les étapes du Chemin et donne des conseils utiles pour le voyage.

Les pèlerins avaient des livres de chants, **de chansons et de feuilles volantes** avec les textes littéraires —et même la partie musicale— qui leur servaient de «Guides», d'aliment spirituel et de distraction au cours des heures interminables de marche.

Iconographie de St. Jacques

L'art roman —puis l'art gothique, le renaissant et le baroque— nous offre une particularité propre à St. Jacques: l'iconographie de l'Apôtre.

Les **premières représentations** nous le présentent dans attribut particulier qui nous permette de le distinguer des autres Apôtres: ainsi, par exemple, dans le Frontispice des Platerías, dans le «Codex Calixtinus»...

Le **premier St. Jacques Pèlerin,** avec escarcelle, coquille et bourdon est celui de Ste. Marta de Tera (Zamora) abbaye très connue déjà au XII s. Un des plus intéressants est celui de St. Jacques Pèlerin de Puente de la Reina (Navarre), communément appelé le «Beltza» (le Noir). Le St. Jacques du meneau, sur le Portique de la Gloire, ne semble pas être une représentation de St. Jacques pèlerin, mais plutôt de St. Jacques le Grand Patron qui accueille ses fidèles.

Il existe maints exemples de **St. Jacques pèlerin à cheval** —différent du Matamore— d'une grande naïveté: celui du Musée des Chemins à Astorga, un autre à Vitoria... Parfois, **St. Jacques apparaît agenouillé**: par exemple, sur un panneau du choeur de la cathédrale de Burgos, agenouillé aux pieds de la Vierge du Pilar, et dans l'église de Iria Flavia (Padrón) prosterné devant la Vierge.

Il est aussi représenté comme **Docteur ou Evangélisateur** enseignant la doctrine reçue du Christ; ainsi la statue du Musée de St. Marc de Léon. D'Evangélisateur il devient Défenseur de la foi contre les

*Cathédrale de Saint-Jacques de Compostelle. Saint-Jacques-Chevalier,
sculpture attribuée à Gambino (18e siècle).*

*Puente la Reina. L'une des plus belles images de Saint-
Jacques-Pèlerin (14e siècle).* ▶

◀ *Santa Marta de Tera (Zamora). La première représentation connue de Saint-Jacques-Pélerin (11e siècle).*

◀ *Saint-Jacques-Pélerin vénéré à Peña de Francia, province de Salamanque.*

Lérida. Église de San Lorenzo. Image gothique de Saint-Jacques-Pélerin (15e siècle).

ennemis: c'est **St. Jacques Matamore.** Le tympan de Clavijo de la Cathédrale de St. Jacques et celui, grandiose mais quelque peu difforme, du frontispice de St. Jacques de Logroño, sont ceux exemples parmi l'iconographie très abondante de St. Jacques Matamore.

On a appliqué à deux saints cette idée du Matamore: **St. Isidore et St. Millan Matamore** qui font concurrence, sur le plan divin, à l'Apôtre victorieux des ennemis.

Différent de St. Jacques Pèlerin et de St. Jacques Matamore, on trouve aussi **St. Jacques de l'Accolade,** du Monastère de las Huelgas, qui avec son bras articulé donnait l'accolade aux rois, en les armant chevaliers pour la croisade contre les musulmans.

La ferveur des pèlerins a engendré la représentation de **Jesus-Christ comme pèlerin** —dans la scène d'Emmaüs de Silos, et sur un bas-relief de Léon, provenant du couvent des Augustines— et dans celle de **la Vierge Pèlerine,** comme on peut le voir à Pontevedra et à Sahagún: le visage de la Divine Pèlerine reflète les soleils de tous les Chemins; à l'extrémité de son bourdon se balance la gourde que des mains angéliques, brisant l'aurore, remplirent d'eau à une des fontaines du Paradis.

Monastère de
Silos
(Burgos).
Jésuchrist-
Pélerin.
Bas-relief des
«Disciples
d'Emmaüs».

Saint-Jacques-
Matamore.
◀ Caisse de
Clavijo de la
cathédrale de
Compostelle
(12e siècle).

Saint Agustin lave les pieds du Christ-Pèlerin. Vestibule du palais des Guzmanes. León.

Sahagún. La Vierge habillée en Pélerine.

CHEMINS POUR LE PELERINAGE

A.—En France

L'Europe entière devint un Chemin qui mène à St. Jacques... En général, les pèlerins provenaient des coins les plus éloignés: L'Angleterre, la Scandinavie, la Russie, la Turquie et la Grèce, l'Egypte et l'Abyssinie, et même la lointaine Inde mystérieuse. Les flots de pèlerins déferlaient en France où, par quatre artères principales, ils arrivaient encore plus abondants jusqu'aux Pyrénées. La **Voie de Toulouse,** partait d'Arles, passait par Montpellier, le Languedoc et Toulouse, pénétrait en Espagne par Somport. La **Voie du Puy** —le Puy, Conques et Moissac—; celle **du Limousin** —Vézelay, Limoge et Périgueux—, et celle de **Touraine** —Paris, Orléans, Tours, Poitiers et Bordeaux— se rejoignaient à Ostabat, d'où les pèlerins poursuivaient leur marche jusqu'aux Pyrénées, et pénétraient en Espagne par Roncevaux.

B.—En Espagne

Outre le «Chemin français», par Burgos, Carrión de los Condes, Léon, El Cebrero et Portomarín, que nous appelons par antonomase —et peut-être de façon trop exclusive—, «Chemin de St. Jacques», il existe en Espagne d'autres routes de pèlerins, qu'il ne faut en aucun cas passer sous silence.

1) **Route de la Côte Cantabrique**

Peut-être est-ce la plus ancienne. Les pèlerins entraient en Espagne par Irún, et continuaient leur route par Hernani; Zumaya, Guernica, Bilbao; Castro Urdiales, Laredo, Santa Cruz de Castañeda, Torrelavega, San Vicente de la Barquera; Ribadesella, Oviedo, La Espina, Luarca, Lugo et St. Jacques. Il y avait naturellement des variantes. Certains pèlerins suivaient en partie cette route et allaient d'Oviedo à Léon par Pajares et Arbas. Le pèlerinage du St. Sauveur d'Oviedo a toujours été lié à celui de St. Jacques. Bien connus sont les vers de ces chants anciens:

> «*Qui se rend à St. Jacques*
> *et non au St. Sauveur*
> *Rend visite au valet*
> *et laisse le Seigneur*».

La «Camara Santa» d'Oviedo, sur le Chemin du litoral cantabrique.

Il ne faut pas non plus omettre la route qu'empruntaient de nombreux pèlerins qui, venant d'Hendaye, passaient par Beasain, le Tunnel de St. Adrian, Vitoria, Miranda de Ebro, Pancorbo, Briviesca et Burgos, où ils rejoignaient ceux qui venaient de Roncevaux et de Somport.

2) Voie d'Argent

Parmi les pèlerins, il y avait également des Espagnols qui habitaient les territoires dominés par les Arabes dans le sud et des chrétiens des provinces de Salamanque et d'Extrémadure, conquises récemment.

La Voie d'Argent, oeuvre romaine d'une conception extraordinaire, était l'artère principal, surtout depuis que Ferdinand III conquit Cordoue, Jaén et Séville, au milieu du XIII s. C'est ce roi qui rendit à Compostelle les cloches qu'Almanzor avait emmenées à Cordoue. En 1662, au temps de Ferdinand I, le corps de St. Isidore fut transporté par cette Voie de Séville à Léon.

Depuis la ville de Betis les voyageurs traversaient Mérida, Plasencia —dont l'hôpital de Ste. Marie accueillait «pour une nuit» les pèlerins depuis le XIII s.—, Baños de Montemayor, le col de Béjar, Frades de la Sierra —patrie de Gabriel et Galan— et Sallamanque. D'autres venaient du Portugal, par Ciudad Rodrigo, et passaient la frontière par le «très St. Jacques» St. Felices de los Gallegos. Les uns et les autres visitaient le Sanctuaire de la Peña de Francia. De Salamanque, ils se dirigeaient vers Zamora. De lè, certains continuaient par Sanabria, Verín et Orense; d'autres, en passant par Granja de Moreruela et Benavente, arrivaient à Astorga où ils rejoignaient ceux qui venaient par le Chemin français.

3) Catalogne et Aragon

Les pèlerins qui débarquaient à Tarragone ou Barcelone, et ceux qui venaient de la frontière des Pyrénées et arrivaient par Gérone ou par Ripoll, se rejoignaient à Lérida, après avoir visité Montserrat, ou Santas Creus et Poblet. De Lérida, ils poursuivaient leur route par Monegros jusqu'à Saragosse, ville du Pilar; et, par Tudela et Calahorra, ils rejoignaient à Logroño ceux qui venaient par le «Chemin français».

4) Routes de la mer

Nous savons que de nombreux pèlerins débarquaient dans divers ports de la côte Nord de l'Espagne et continuaient leur route par les

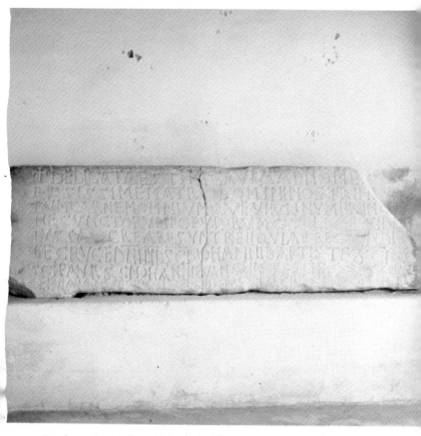

Sur la route appellée «Ruta de la Plata», nous trouvons le premier rendez-vous avec les reliques de Saint-Jacques, sur cette pierre de consécration de l'église de Santa María de Mérida (7e siècle).

Église romane de San Martín de Castañeda, sur le «Chemin de Zamora à Orense».

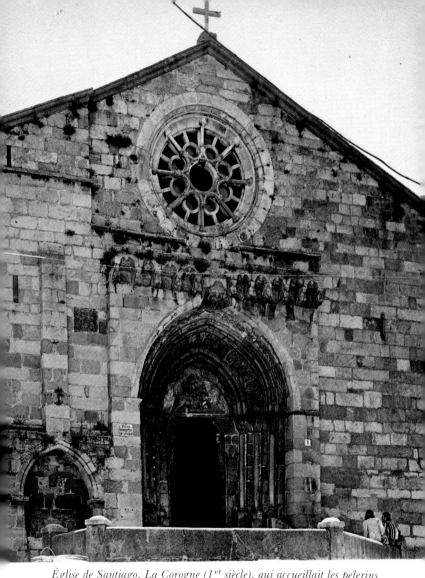

Église de Santiago, La Corogne (1ᵉʳ siècle), qui accueillait les pélerins qui traversaient les «Routes de la Mer».

chemins que nous venons de voir dans la Route de la Côte Cantabrique. Les routes maritimes qui partaient de l'Angleterre, l'Irlande et même des pays nordiques et aboutissaient dans les ports de La Coruña, Noya et Padrón, étaient particulièrement importantes. Depuis ces ports —dotés de monuments à la saveur typiquement de St. Jacques—, ils poursuivaient leur route à l'intérieur du pays, en direction de St. Jacques.

5) **Chemin français**

Toutefois, le Chemin le plus emprunté, le plus recherché par les auteurs, auquel on se réfère le plus dans les «Guides» et les chants, est le dit Chemin français, que l'on appelle par antonomase LE CHEMIN DE ST. JACQUES. On y distingue trois grandes sections ou tronçons:

1.—**Le Chemin navarrais**: des Pyrénées à Nájera.

2.—**Le Chemin castillan-léonnais**: de Sto. Domingo de la Calzada à Foncebadón.

3.—**Le Chemin galicien**: de Ponferrada à St. Jacques de Compostelle, Padrón et Finistère.

Nous suivons ici le même plan adopté dans notre oeuvre audio-visuelle du Chemin, où vous pouvez trouver des explications plus **complètes** et des précisions de vif intérêt. (1)

------

1   *Le Chemin de St. Jacques.* Trois séries audio-visuelles de 252 diapositives en couleur, bande magnétophonique, livre historico-artistique et cartographie du Chemin. «Les Amis du Chemin de St. Jacques», Estella (Navarre).

«El Pilar» de Saragosse. «Chemin de la Catalogne et de l'Aragon.»

◀ *Lérida. Chapelle «del peu del Romeu», sur le «Chemin de la Catalogne et de l'Aragon».*

CHEMIN NAVARRAIS (des Pyrénées à Nájera)

Ostabat

Trois des quatre grandes routes françaises convergeaient à *Ostabat*, village paisible de la Basse Navarre, qui connut le déplacement des foules de pèlerins du moyen-âge : Rois, saints, moines et villageois, jongleurs et chevaliers... voilà quels étaient les pèlerins de l'Europe entière, qui, passaient par les rues d'Ostabat pour se rendre à St. Jean Pied de Port.

St. Jean Pied de Port

Dans cette ville, capitale de la Navarre aujourd'hui française, nous pénétrons par la Porte de St. Jacques et, par la rue qui porte le même nom, nous descendons jusqu'au fleuve Nive, dont les eaux retiennent l'image de l'église Ste. Marie et de la Porte de Notre Dame, tour où brillent les chaînes de la Navarre.

Du petit pont, précisément appelé Pont d'Espagne, nous pouvons contempler une grosse bâtisse avec un grand balcon au-dessus du fleuve, symbole de la souche vasco-navarraise de cette région : la Maison des Jaso, ancêtres du fameux pèlerin venu d'Orient, François Xavier.

Valcarlos

Une fois franchie la frontière et arrivés à Valcarlos, nous sommes remplis du souvenir épique de Charlemagne : l'air et les monts de cette vallée de Carlos, «Val-Carlos», exhalent les souvenirs extrêmement dramatiques de l'Empereur à la barbe fleurie. Traversant défilés et chênaies, on grimpe jusqu'à Alto de Ibañeta, après avoir passé Gañecoleta. Du haut des cimes altières de Astobiscar les vascons, avec leur «irrintzi» et le son rauque de leurs cornes de bœuf sauvage, donnèrent le signal de l'assaut. Le 15 août 778, descendant tels une bise violente, entre les hêtres et les chênes, ils écrasèrent les Francs à Roncevaux. Roland, les Douze Pairs et la fine fleur de l'armée de Charlemagne payèrent de leur vie l'affront de Pampelune. En hiver, lorsque rugit et gémit le vent à travers les défilés et les gorges de Roncevaux, on dit que l'on entend avec une clarté étonnante l'Olifant, cette corne d'ivoire sicilienne que Roland fit sonner avec une force telle pour appeler au secours qu'il en mourut tandis que ses poumons éclataient... C'est qu'à Roncevaux l'air même devient légende.

Valcarlos. Village sur le Chemin de Saint-Jacques.

Roncevaux. Vue partielle. Collégiale royale.

Aujourd'hui, sur ces hauteurs, une simple stèle nous évoque le héros chanté par les jongleurs et les pèlerins du Moyen-âge et de l'Europe entière. Non loin de la stèle de Roland, se dresse la Chapelle alpine, construite par la Diputación Foral en 1965, sur les ruines du noble Monastère Royal du St. Sauveur qui, au XI s., était déjà «ancien et important». Sa cloche sonnait par intermittence pour guider les pèlerins perdus les nuits d'hiver au coeur des forêts, pris dans les bourrasques ou menacés par les loups.

Cols de Cisa

L'autre route, plus ancienne, montait de St. Jean Pied de Port ou de St. Jean le Vieux par St. Michel, Madeleine d'Orisson et Château Pignon, jusqu'au passage de Leizarateca, frontière actuelle et peut-être le «Summum Pyrenaeum». Elle continuait par le Collado de Bentartea, sur le versant du Changoa et d'Astobiscar, traversait les cols de Cisa et descendait jusqu'à Ibañeta.

Roncevaux

Sur le versant, **Roncevaux** semble une apparition médiévale parmi les hêtraies et les chênaies. Cette ville doit sa renommée non seulement à la «Route» de Charlemagne, mais aussi à son **Grand Hôpital Royal** et l'Hôtellerie des Pèlerins, transportés ici depuis Ibañeta. Le «Canto al Hospital» de la «Preciosa», document très important du 12ème siècle conservé à Roncevaus, nous fournit, entre autres, un renseignement intéressant:

> *« Il ouvre ses grilles aux malades et aux bien portants,*
> *ainsi qu'aux catholiques et aux païens,*
> *aux juifs, aux hérétiques, aux mendiants et aux bons à riens,*
> *et les serre tous contre son coeur comme des frères.»*

Merveilleuse est la charité, sans limites terrestres ni frontières idéologiques ou religieuses: s'il n'en était pas ainsi, elle cesserait d'être la charité...!

Près de l'Hôpital, la grande Collégiale, présidée par la Vierge de Roncevaux sous le baldaquin en argent repoussé. Elle fut édifiée au tout début du XIII s. par Sanche le Fort, celui des Navas de Tolosa, dont le tombeau se trouve dans la Chapelle St. Augustin, ancienne Salle Capitulaire. La Collégiale est un monument de style ogival primitif, véritable bijou architectural, unique exemple en Espagne de gothique typiquement français. Elle comprend trois nefs, de hauteur et de largeur différentes. Des colonnes cylindriques

*Vierge de
Roncevaux,
patronne
des
Pyrennées
navarraises*

soutiennent la voûte divisée en six parties et dans l'entrecolonne-
ment de la nef, il y a un triforium de conception élégante avec 10
balcons et 10 splendides rosaces. En résumé: un bijou merveilleux
dans son architecture, stylisé et fin dans ses éléments et sobre dans
ses ornements, bref du goût de St. Abad de Claraval.

Dans la chapelle du Christ Saint, il y a un Christ grandeur nature,
agonisant, de l'école d'Alonso Cano, merveilleux par l'émotion
qui en émane et par son art...; et aux peids de la Croix, une magnifique Dolorosa, aux dimensions petites mais à l'expression extraordinaire.

Le Musée et la Bibliothèque de Roncevaux abritent des pièces
de très grande valeur, un reliquaire en émaux de Montpellier, appelé
«Echecs de Charlemagne» à cause de sa forme, et qui est la plus belle
pièce d'orfèvrerie médiévale du Musée. La Sainte Famille du Divin
Morales; un triptyque attribué au Bosco; un coffret gothico-mu-
déjar en filigrane d'or du XIIIème siècle. Pixis d'argent et d'or du XI;
la célèbre émeraude dont était paré Miramamolín au cours de la
bataille de las Navas de Tolosa et qui est une authentique et fine
émeraude orientale d'une valeur inestimable, et l'une des plus belles
d'Espagne; comme objets curieux de la légende carolingienne, les
dites «masses de Roland» qui sont en réalité les masses d'armes de
Sanche le Fort; les «babouches de l'Archevèque Turpin» ainsi qu'on
les appelait, etc...

La Chapelle St. Jacques, qui est mentionnée dans les documents
sous le nom d'«église des pèlerins», est le monument le mieux conservé
de Roncevaux.

La Chapelle du Sancti Spiritus est le monument le plus ancien.
La légende l'appelle «le Silo de Charlemagne» et dit que l'Empereur
le fit construire sur la roche fendue par Durindana, l'épée de Roland,
préfet de Bretagne. Les Douze Pairs de France y seraient enterrés
sous le signe de la Croix. De forme carrée, le cimetière du grand
Hôpital était tout simplement le cimetière et l'ossuaire des pèlerins,
ni plus ni moins.

A la sortie de Roncevaux *la Croix des Pèlerins* dit adieu au voyageur. Puis, l'on traverse Burguete, Espinal et Vicarret. Le Chemin
s'étire par le petit village de Larrasoaña, dont l'unique rue est sur le
Chemin de St. Jacques. Après avoir passé le pont roman de la Trinidad
de Arre sur l'Ulzama et traversé Villava, nous apercevons au loin
une grande ville...

Pampelune...

La vielle Iruña, capitale de l'ancien royaume de Navarre
Nous traversons le pont roman de la Magdalena et par le «Portal»
de France, appelé de nos jours aussi Zumalacárregui, en souvenir

Triptyque de la Passion.

Reliquaire en émaux ou «Echecs de Charlemagne» (14e siècle).

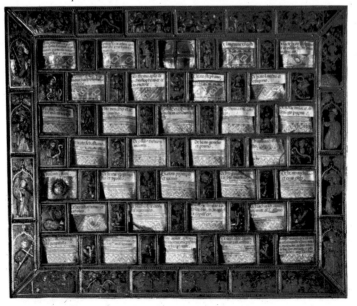

Église de «Sancti Spiritus» ou Silo de Charlemagne.

Église de Saint-Jacques (13e siècle).

Croix des pélerins. ▶

des guerres carlistes, nous pénétrons dans cette ville accueillante, tête d'un royaume qui contribua de façon décisive à la consolidation définitive du Chemin de St. Jacques.

La cathédrale se dresse au nord de la ville. Elle a été construite sur l'emplacement de l'ancienne cathédrale romane, consacrée au XII s., dont certains chapiteaux sont conservés au Musée de Navarre. Du point de vue artistique, la partie la plus digne d'intérêt est le cloître du XIV s., qui selon les spécialistes est le chet-d'oeuvre du gothique dans notre pays et le plus beau d'Europe de ce style. A côté, se trouve la cuisine des pèlerins dont le toit est percé de quatre cheminées et d'une hotte centrale. On y préparait le repas quotidien des pèlerins. «Tandis que l'on chante la grand'messe —dit le pèlerin Laffi— on donne à manger à douze pèlerins à la porte même de l'église... et on fait aller tous les autres à la porte de la cuisine...» Ce même Laffi nous donne un renseignement qui corrobore la grande tradition musicale de la Navarre: «Dans la Cathédrale, il y a d'une part les chanteurs, de l'autre les divers instruments: harpes, cithares, orgues aux nombreuses possibilités, etc... et il en naît une harmonie si grande et si belle qu'on l'entend de loin.»

L'église **St. Sernin ou St. Saturnin,** construite aux XIII et XIV s., nous montre sur son Portique Nord une magnifique statue de St. Jacques Pèlerin. Il ne faut surtout pas manquer de visiter la Camara de Comptos, bâtiment civil le plus intéressant de Pampelune qui conserve dans ses Archives des documents précieux de l'époque des pèlerinages; le Musée de Navarre qui referme des oeuvres magnifiques de l'art de cette région; l'église St. Nicolás qui ressemble à une forteresse; celle de St. Jacques également appelée Sto. Domingo, avec une statue de St. Jacques Pèlerin et des bas-reliefs du même style...

Et si le pèlerin d'aujourd'hui passe par Pampelune au mois de Juillet, qu'il ne manque pas de goûter aux charmes de la fête de St. Fermín et de la pétarade virulente du «riau-riau»; quand éclate le «Chupinazo», la fête de Pampelune «éclate» —c'est la seule façon de la décrire, disait Hemingway—. Le «encierro», ce rite unique au monde, célébré avec science, école d'art et de courage pour la jeunesse navarraise, est le symbole d'une terre virile et audacieuse.

De Somport à Puente la Reina

L'autre grande route française —celle de Toulouse— pénétrait en Espagne par Somport et rejoignait les autres qui convergeaient à Ostabat, pour arriver, par Roncevaux, à Puente la Reina, à 23 Km. au sud-ouest de Pampelune.

Pampelune.Vue aérienne de la cathédrale et ancien quartier de la Navarreria.

Pampelune. Tours de Saint Cernin.

A Somport l'importante hôtellerie de Ste. Christine, aujourd'hui en ruines, accueillait les pèlerins sur ces hauteurs inhospitalières hérissées de pics pierreux couverts de neige et dont le silence des défilés n'est troublé que par l'eau qui tombe en cascades. Le chemin s'enfonce vers Canfranc et Villanúa et arrive à **Jaca.**

La cathédrale, de la seconde moitié du XI s. est l'une des premières sources de l'art roman en Espagne, par ses formes architecturales et la perfection de sa sculpture. C'est Ramiro I, fils de Sanche le Grand de Navarre qui fut son instigateur.

Les pèlerins continuaient par le Canal de Berdún, passaient par Tiermas, traversaient le fleuve Aragón à Yesa, non loin de la grandeur majestueuse de Leyre et arrivaient à **Sangüesa:** Sta. María la Real est l'un des monuments les plus intéressants du Chemin de St. Jacques et l'un des sommets de l'art roman. Son frontispice entouré de sculptures étonne le visiteur. On y découvre la préférence que montrait la ferveur du peuple pour St. Jacques, situé à droite de la Vierge et précédant St. Pierre lui-même; et l'on remarque un cas exceptionnel et unique dans la statuaire romane: la représentation de Judas pendu.

Puis le Chemin passe devant la Foz de Lumbier, profond défilé qui remplit de panique le voyageur et qui s'atténue à Monreal. Plus loin, le Château de Tiebas révèle au pèlerin d'aujourd'hui qui descend vers Eunate par la Venta de Campanas l'ossature de ses ruines.

Quatre kilomètres avant que ne se rejoignent la route de Somport et celle de Roncevaux, **l'église romane de Eunate** irradie dans le silence de la vallée les ondes de sa beauté originelle. En Navarre, trois monuments funéraires jalonnent le Chemin de St. Jacques: Sancti Spiritus à Roncevaux, au début de la route; Torres del Río, presqu'au bout; Eunate, au croisement des deux Chemins pyrénéens. Durant les nuits interminables, leurs lanternes allumées, lumières du Chemin et phares d'espérance, guidaient le pèlerin sur une route qui, en définitive, conduit à l'éternité... La beauté si pure et spirituelle de Eunate est rehaussée par de sobres arcades qui l'entourent et en font un poème architectural exquis: elles constituent une ligne de protection artistique, une sorte de remparts stylisés pour protéger, non par sa masse défensive, mais par son art audacieux les dépouilles des pèlerins, héros inconnus de la grande «épopée du pèlerinage.»

Puente la Reina

Au XI s., la petite ville commence à figurer sous le nom de «Ponte de Arga» ou «Ponte reginae». Le Chemin des pèlerins pénétrait

52

Somport: ni la neige ni l'altitude étaient capables de faire reculer le pèlerin.

Pampelune. Caisse du frontispice nord de Saint-Cernin (13e siècle).

Abside latérale de la Cathédrale de Jaca.

Sangüesa. Portail de Santa María. ▶

à Puente la Reina par l'église du Crucifix où l'on peut voir un magnifique Christ en croix, du début du XIV s., probablement d'origine rhénane. La position des bras est étonnante : ils sont cloués sur une croix en Y grec, tirant partie de la forme naturelle d'un tronc d'arbre.

L'église St. Jacques du XII s., se trouve dans la Grand'Rue ou Rúa de los Romeus, qui débouche sur le «joli pont». Dans cette église, le souvenir de l'Apôtre est perpétué grâce à une statue puissante de St. Jacques Pèlerin du XIV s., familièrement appelé le Beltza —ce qui en basque signifie «Le Noir», car elle a été découverte récemment, noircie, dans un grenier de l'église. Walter Starkie dit d'elle : «C'est l'image la plus délicate que j'ai jamais vue, exception faite du Portique de la Gloire.»

A la sortie de la petite ville, il faut traverser le pont de pierre qui lui donne son nom ; c'est une oeuvre de la première moitié du XI s., dont on attribue la construction à Doña Mayor la Grande, épouse de Sanche le Grand de Navarre. Elégant, gracieux, avec six arcs en plein cintre et des piliers ouverts par de petits arcs qui contribuent à sa légéreté et à sa sveltesse il a parmi les ponts romans une classe extraordinaire dûe à sa beauté, sa sobriété et sa valeur fonctionnelle.

Au croisement des deux routes, celle de Roncevaux et celle de Somport, Puente la Reina a érigé un monument au Pèlerin ainsi qu'un Mesón qui rivalise avec les anciennes hôtelleries de St. Jacques.

Pont sur le Salado

Après avoir passé Cirauqui, village d'une grande saveur mayennâgeuse, le Chemin suit la voie romaine dont les restes subsistent dans la montée difficile ; il traverse un petit pont médiéval ainsi que la route actuelle pour arriver au Salado. «Ses eaux sont empoisonnées et mortelles», nous signale Aimerico Picaud... Ce qui, en réalité, est exagéré. Certes, ses eaux sont salées, mais en aucun cas empoisonnées. C'est peut-être à ce goût pour l'exagération péjorative que l'on doit cette scène qui se passe sur un magnifique pont ogival franchissant allègrement le Salado : des habitants des environs se jouèrent des pèlerins en empoisonnant leurs montures en leur faisant boire les eaux mortifères et en les dépeçant à grands coups de couteaux. Probablement... ce ne furent même pas des navarrais si l'on en croit des documents du registre de Comptos de 1319. On peut y lire que dans ces régions rôdaient «... des anglais et autres mauvaises gens qui vagabondaient et commettaient maintes mauvaises actions contre les villageois...» et qui, en fin de compte «furent soupçonnés, découverts, arrêtés et pendus à Vilaba.»

Église romane d'Eunate. ▶

*Gorge de Lumbier. Impressionnant défilé que les pélerins traversaient
sur un petit pont, aujourd'hui tombé, d'un arc unique et hardi.*

Puente la Reina. Pont des pélerins.

*Puente la Reina. Image de
Saint-Jacques (14 e siècle).*

Estella

Estella, l'ancienne Lizarra, s'ouvre devant nous comme un livre dense, monumental et historique. Cette ville entourée de montagnes est née dans la chaleur des pèlerinages, pour les pèlerinages et pour servir les pèlerins. Au Moyen-Age, les jongleurs l'appelaient dans leurs couplets «Estella la Belle». La Picara Justina en fit de même, reprenant ainsi ce sentiment populaire. L'auteur du Guide du XIIème siècle, invite le pèlerin à faire halte à Estella car «on y trouve du bon pain, un vin excellent, beaucoup de viandes et de poissons et de la joie».

Au-dessus du hameau se dresse **l'église St. Michel** du XIIème siècle. Son portique nord, du Maître St. Michel d'Estella, est un des chefs-d'oeuvre de l'art roman: c'est ce que l'on peut constater lorsqu'on regarde ses remarquables et éloquents chapiteaux, ou le tympan avec le Christ en majesté et le tétramorphe; ou quand on admire les soixante sculptures de ses archivoltes, les superbes bas-reliefs qui ornent le portique. Il s'agit là d'une réalisation artistique pleine de vigueur, de richesse et de réalisme typiquement espagnol.

Les pèlerins traversaient la rivière Ega par un pont à l'allure svelte qui fut détruit à la fin du siècle dernier et reconstruit en 1971; puis ils pénétraient dans le **quartier de la Rua** où s'étaient établis des Francs et une communauté juive. Un fait curieux est à signaler: En 1492, quand les Rois Catholiques expulsèrent les Juifs, le Roi de Navarre, Jean Labrit, écrivit aux Autorités d'Estella, les invitant à «accueillir dans leur bourg tous les Juifs possibles car ce sont des gens dociles qui se soumettent facilement à la raison.»

Le Temple du St. Sépulcre, aux absides romanes, nous offre un frontispice magnifique de style gothique du XIVème siècle; il comprend 12 nerfs et est profondément surbaissé; il ressemble à la proue d'un navire mystique où sur les voiles —le tympan— brillent avec souveraineté la Crucifixion, les trois Maries devant le sépulcre et la Cène; tout en haut, surveillant la direction du voilier, une éloquente représentation des apôtres —des marins à la façon divine—; tandis qu'en bas, sur le frontispice —le bordage— nous accueille le patron, St. Jacques, avec escarcelle et coquilles symboliques, détérioré par l'assaut des vagues séculaires.

La rue des pèlerins, avec ses frontispices gothiques et ses édifices renaissants, débouche **sur la Place St. Martín;** les arrêtes ouvertes de ses pierres médiévales ont retenu et emprisonné le temps qui sommeille à l'ombre de ses arbres, bercé par une source délicieuse. Le grand perron qui mène au frontispice à plusieurs lobes de **St. Pierre** rend encore plus majestueuse la tour au profil guerrier qui se

*Estella. Près du palais Royal (12e siècle), la «jota» et les «kalejiras»
de la ville.*

Estella. Chapiteau de Roland et Ferragout. Palais Royal.

Estella. Portail de San Miguel.

dresse. Le cloître protège de ses deux ailes romanes la paix et le repos d'un jardin fleuri sur les tombes des pèlerins européens.

En bas, sur la place St. Martín, le **Palais des Rois de Navarre,** du XIIème siècle, est un merveilleux et rare exemple de roman civil; les grandes fenêtres à quatre arches et les chapiteaux nous parlent du combat de Ferragut et de Roland, d'un âne musicien, du châtiment de l'avare, etc...., autant de délices pour le patient amateur de beautés romanes.

La Vierge du Puy, patronne d'Estella, est une sculpture romane qui ne manque, pas d'intérêt. Ce vocable, de même que celui de Notre Dame de Rocamador sont typiquement de cette époque.

C'est à Estella que siège la «Société pour le bien Public», **«les Amis du Chemin de St. Jacques».** Sa principale finalité est de faire connaître la Route de St. Jacques. Elle organise tous les ans, en collaboration avec l'Institution «Prince de Viana», la Semaine des Etudes Médiévales et la Semaine de Musique Ancienne qui ont acquis une renommée internationale en peu de temps.

Estella redevient **étoile** et **stéle** du Chemin: **Lumière** qui guide et **trace** qui demeure.

Irache

A deux kilomètres d'Estella, presqu'à l'ombre du Montejurra —le Mont de la Tradition— il y a le monastère de Sta. María la Real de Irache. Il existait déjà au début du Xème siècle. C'est ici même que s'est érigé au début du XIème siècle le premier Hûpital des pèlerins en Navarre. L'église est du XIIème siècle, avec une partie principale de style roman et des nefs ogivales. La Liturgie et le chant visigothiques, si espagnols, fleurirent de façon étonnante en Navarre et en particulier à Irache. Deux des quatre livres mozarabes que, sur la demande du Pape, les évêques espagnols amenèrent à Rome au XIème siècle, provenaient précisément de Irache. Parmi ses plus célèbres abbés, il faut signaler St. Veremundo, grand protecteur des Pèlerins. Il vient d'être déclaré Patron du Chemin de St. Jacques en Navarre, récemment.

Torres del Río

L'église du St. Sépulcre de **Torres del Río** surgit comme un merveilleux soulagement sur la route épuisante. De forme octogonale, c'est un exemple précieux de l'art roman du XIIème siècle. Sa magnifique coupole est soutenue par de grands nerfs à section carrée

◀ *Estella. Église du Saint-Sépulcre.*

Torres del Río. Voûte de l'église du Saint-Sépulcre.

qui se croisent et s'entrecroisent et tombent en cascade avec la même sérénité et la même magnificence que les branches d'un palmier éxubérant. Cette croisée hispano-arabe s'inspire directement de la Mosquée de Cordoue.

Viana

Viana, capitale de la Principauté du même nom, s'interpose, vaillante et altière, sur notre route vers Saint Jacques.

L'église Ste. Marie, construite aux XIV et XVème siècles, est le véritable joyau de Viana. L'art gothique s'accorde avec le renaissant et n'est que beauté délirante. Le frontispice, profondément surbaissé, les stalles du Choeur, le splendide triforium, les peintures de Louis Paret, et le Maître-Autel, méritent une visite attentive de la part du pèlerin d'aujourd'hui. C'est dans cette petite ville que mourut, en 1507, le capitaine des armées de Navarre, fils d'Alexandre VI et beau-frère du roi de Navarre, le célèbre César Borgia, Archevêque, Cardinal et l'un des princes les plus puissants d'Italie. Une pierre tombale à l'entrée de l'église Ste. Marie et un monument sur la place de Sor Simona perpétuent sa mémoire.

Logroño

Ecrassée dans la plaine fertile et bercée par le grondement de l'Ebre, la ville de Logroño, coeur de la Rioja, est la première grande ville que nous trouvons sur notre Chemin après avoir quitté l'actuelle Navarre. Depuis le pont de pierre, successeur de celui que construisit St. Jean d'Ortega, et au-dessus de la mosaïque des toits, nous pouvons contempler la tour mudéjare de San Bartolomé et la flèche pyramidale de pierre de Santa María del Palacio et la tour carrée de St. Jacques, ainsi que les deux tours baroques de la Cathédrale... Leurs silhouttes dressées s'inclinent jusqu'à s'enfoncer dans le reflet de l'Ebre qui les transformera en baiser de St. Jacques aux pieds du Pilar de Saragosse.

Francisco López de Zárate —et non Lope de Vega comme on l'affirme— écrivit ces vers à Logroño et ses tours:

> *«Cette ville qui préside*
> *de haut toutes ces richesses*
> *et dont les tours atteignent les étoiles,*
> *est la gloire de l'Espagne et l'orgueil des villes.»*

Par la vieille Rue, étroite et tortueuse, nous arrivons à l'église de **Santiago el Real**, à côté de laquelle coule doucement la fontaine des pèlerins. Ce lieu saint est du XVIème siècle et possède un grand retable dédié à l'Apôtre. Son frontispice baroque se termine en un grand arc où domine un gigantesque St. Jacques Matamore. Son esprit guerrier est rehaussé par son cheval blanc, étalon fougueux qui hennit avec autant d'agressivité que le Bucéphale d'Alexandre le Grand ou le Grani de la walkyrie Brunilde. Dans Don Quichotte, Cervantes écrit: «Ce grand Chevalier à la croix vermeille, Dieu l'a donné à l'Espagne comme Patron pour la protéger.» Dans le même chapitre, il poursuit: «Il demanda que l'on enlevât une autre toile, sous laquelle on découvrit l'image du Patron des Espagnes à cheval; et en la voyant Don Quichotte dit: «En voilà un vrai chevalier… et parmi les escadres du Christ, c'est l'un des chevaliers saints les plus courageux que le monde a eu et que le ciel a maintenant…»

Clavijo

Depuis Logroño, nous pouvons aller visiter Clavijo… La légende raconte que Ramiro I refusa de payer à Abderramán II l'abominable tribut des 100 vierges. Ceci provoqua la guerre oú fut livrée la bataille de Clavijo, dont le château en ruines, oeuvre du Xème siècle, se dresse toujours sur le rocher altier, comme souvenir médiéval rogné par le vent d'automne.

Si la bataille de Clavijo est légendaire, il y en eut une véritable (mentionnée dans des documents), celle de Simancas, où Ramiro II avec l'aide de St. Jacques vainquit Abderramán III, en 938. Comme conséquence de cette bataille, il existe un Voeu ou tribut de St. Jacques, accompli presque sans interruption jusqu'à nos jours.

Nájera

Après avoir passé Navarrete, de grande tradition pour les pèlerins, le voyageur est surpris par l'art et les souvenirs de Nájera, nom d'origine arabe, ou peut-être préromaine, selon Menéndez Pidal. Cette ville a été prise aux musulmans en 923 par le roi de Navarre et est devenue la Cour et le Panthéon de ses rois. C'est ici que Sanche le Grand fit frapper la première monnaie connue de la Reconquête et entreprit d'aménager et de rendre praticable le Chemin de St. Jacques par la Rioja.

Au début du XIème siècle on a fondé une grande abbaye clunisienne et au début du XVème on a construit l'actuel monastère à l'aspect austère de forteresse. Sur le maître-autel on vénère l'image primitive et romane de **Santa María Virgen de la Terraza,** decou-

verte par miracle dans une grotte par le roi García de Pampelune, «celui de Nájera», alorsqu'il allait chasser dans ses parages.

Sous le choeur, on peut visiter la grotte; d'une dizaine de mètres de profondeur, ouverte dans la roche, où le roi découvrit l'image de Santa María. De part et d'autre, **le Panthéon Royal,** auguste et solennel, comportant une trentaine de tombeaux alignés contre la roche vive, clame les grandeurs passées de la Navarre.

Il faut mentionner entre autres le **tombeau de Blanche de Navarre,** arrière-petite-fille du Cid et mère du futur roi de Castille, Alphonse VIII, celui de «las Navas». Le couvercle de ce sarcophage à deux pans, est un joyau authentique, un exemple précieux de la sculpture romane.

Les jalousies en pierre **du cloître** dessinent dans les galeries de merveilleux jeux d'ombre et de lumière, débordantes de ce désir mystique et impérial profondément espagnol qui caractérise notre art du XVIème siècle. Dans la chapelle annexe de la Vera Cruz, nous trouvons le coffre sépulcral de Garcilaso de la Vega, recouvert magnifiquement. Le Cloître des Chevaliers, le Panthéon Royal et les stalles du choeur forment du point de vue historique et artistique un extraordinaire ensemble de par son intérêt et sa grande valeur.

Le château de Clavijo: souvenir du Moyen-Âge rongé par le vent.

◀ Logroño. Façade de l'église de Santiago.

Nájera. Sombres et lumières sur les jalousies en pierre du cloître des Caballeros (16e siècle).

CHEMIN CASTILLAN-LEONNAIS

De Santo Domingo de la Calzada à Foncebadón

Le Chemin castillan-léonnais, seconde partie de notre parcours de St. Jacques, commence à Sto. Domingo de la Calzada, passe par Burgos et Castrojeriz, traverse la Tierra de Campos par Frómista et Carrión de los Condes, pénètre dans le Royaume de Léon par Sahagún; puis, il se perd dans les rues de Astorga de la Maragatería et monte jusqu'au mont Irago, au sommet duquel et non loin de Foncebadón, se dresse la «Croix de Fer».

Santo Domingo de la Calzada

Au XIème siècle il n'existait ni bourg ni pont. La voie romaine passait plus au nord par Bañares et Cerezo de Río Tirón. C'est avec des pénalités et des miracles que Santo Domingo construisit le pont de 24 arches sur le Oja pour faciliter le pèlerinage. Il érigea aussi un hôpital qui, ayant été reconstruit, existe encore de nos jours. Ces constructions ainsi que l'ermitage de la Vierge de la Place furent à l'origine de ce Bourg, qui s'appela ensuite Sto. Domingo de la Calzada, ville née du pèlerinage et pour lui, grâce aux dons charitables de ce «saint ingénieur du pèlerinage». La calzada, conçue et en partie réalisée par lui, devint définitivement le Chemin de St. Jacques, tel qu'il est décrit dans le Guide d'Aimerico Picaud.

En son honneur on construisit la Cathédrale, commencée en 1158, tirant profit d'une partie de l'église édifiée par le saint. Les absides romanes sont en parfaite harmonie avec les trois nefs gothiques et la tour baroque élancée et dégagée, haute de 67 m., appelée «la moza de la Rioja».

Dans la cripte, on peut voir le sarcophage du saint et une statue du XIIème siècle; sur lui se dresse le mausolée en albatre, dessiné par Felipe Vigarny, entouré de grilles splendides. Tout en haut d'un des murs, on peut contempler un morceau de bois qui servit de potence au protagoniste du célèbre prodige du coq et de la poule, narré et chanté dans les guides et les chants de l'Europe entière:

«*Un couple étranger avec un fils de 18 ans allait en pèlerinage à St. Jacques. La servante du Meson où ils s'étaient arrêtés, se vengea du jeune homme qui ne répondait pas à ses avances, en introduisant une coupe en argent dans son sac en peau, l'accusant ensuite de lui avoir dérobée. Les corrégidors de la ville arrêtèrent l'enfant et le pendirent. Quand les parents revinrent de Compostelle, à leur grand*

Santo Domingo
de la Calzada.
Cathédrale.
Tombeau de
Saint
Dominique
(15e siècle),
couvert par le
baldaquin
d'albâtre,
oeuvre de
Philippe de
Bigarny et
Juan de
Rasines.

*Santo Domingo de la Calzada. Cathédrale. Le «Gallinero» avec le coq
et la poule: souvenir du miracle du pendu.*

étonnement, ils virent que leur fils était toujours en vie. Ils allèrent voir le juge qui se trouvait à table sur le point de découper un coq et une poule rôtis et qui dit avec ironie: "Cette histoire est aussi vraie que ce coq et cette poule qui nont se lever du plat et se mettre à chanter." A la stupeur générale, c'est ce que firent les deux bêtes.

En face du mausolée du saint un **petit poulailler,** avec un balcon décoré, abrite un coq et une poule blanc, placés de façon périodique en souvenir du chant miraculeux émis par les deux oiseaux.

Parmi les nombreuses oeuvres d'art que réunit la Cathédrale, la plus belle est peut-être **le retable principal,** oeuvre de Damián Forment: sur un soubassement en albâtre, entouré de bas-reliefs mythologiques, s'élève le retable divisé en quatre corps. Il y est représenté avec puissance et vigueur des scènes du Nouveau Testament.

Près de la Cathédrale, nous pouvons admirer **l'ancienne bhôtellerie** fondée par le saint, reconstuite au XIVeme siècle et dont on en a fait aujourd'hui un Parador National. Elle remplit sa fonction charitable jusqu'au XVIIIeme siècle à l'égard des pèlerins. Ses pierres casi millénaires comme celles de tant d'autres hôpitaux et auberges, proclament cette charité que le Chemin de St. Jacques a su réveiller et Sto. Domingo pratiquer. Bien qu'il ait de l'importance, ce n'est pas le Chemin qui en a le plus, mais plutôt le pèlerin, sublime protagoniste —sublime même dans les moments de faiblesse!— de la grande épopée du Pèlerinage: sans lui, on ne peut pas imaginer ni même comprendre le Chemin de St. Jacques...

Villafranca Montes de Oca

Le Chemin se poursuit par Redecilla del Camino et Belorado et arrive à Villafranca Montes de Oca, successeur de la ville romaine Auca. C'est de nos jours un village loin d'avoir l'importance historique dont il a jouie, lorsqu'il était le siège épiscopal de la région jusqu'en 1076 date à laquelle il fut transporté à Burgos. Avant d'arriver à Villafranca, nous pouvons voir les ruines de ce qui fut le monastère mozarabe St. Felices. Selon certains auteurs, c'est ici que fut enterré le comte Diègue Porcelos, qui a redonné vie à Burgos.

L'Hôpital de la Reine et l'Eglise de St. Jacques nous remettent en mémoire le passage des pèlerins. Dans l'église se trouve un bénitier qui est une authentique coquille naturelle, la plus grande de celles qui existent sur le Chemin de St. Jacques; elle fut apportée des Philippines.

A deux kilomètres du village, dans un pré charmant, les quatre sources «de Oca» nous rafraichissent sur le Chemin du Pèlerinage. Tout près, l'ermitage de la Vierge de Oca résiste aux rigueurs du temps et du climat. Non loin, le Puits de St. Indalecio rapelle le martyre du premier évêque de ce Siège, nommés selon la légende part St. Jacques lui-même.

Saint Jean d'Ortega

Une fois franchis les Monts de Oca si redoutés autrefois, parce qu'ils servaient de repaire aux brigands, et dépassé l'ermitage de Valdefuentes, nous arrivons au village de St. Jean d'Ortega qui doit son origine du St. du même nom. Jean d'Ortega et Dominique de la Calzada forment le binôme des saints ingénieurs qui consacrèrent savoir et efforts à la construcction de chaussées, de ponts et églises; l'église construite en partie par Ortega subsiste encore; sa partie principale et son transept romans datent de la deuxième moitié du XIIème siècle. Dans la crypte actuelle, on peut admirer le sépulcre du St., austère et sans ornement, à côté du cénotaphe récemment découvert, l'un des plus important de l'art roman espagnol. Au centre de l'église se trouve le baldaquin donné par Isabelle la Catholique, avec un gisant remarquable et six bas-reliefs illustrant la vie du Saint.

A quelques kilomètres, au bord de l'Arlanzón nous attend une grande ville fière et belle.

Burgos

Ville du Cid et coeur de la Castille, creuset de l'Espagne et étape indispensable du Chemin de St. Jacques.

Du haut de son château, nous pouvons contempler, presqu'à nos pieds, les restes des anciens remparts et les églises St. Nicolás et St. Stéphane. Au centre, une quantité d'étoiles... tombées du ciel et devenues crêtes, flèches et pinacles gothiques de la Cathédrale. Pratiquement au fond, la rue St. Jean qu'empruntaient les pèlerins; St. Lesmes et l'Hôpital de St. Jean l'Evangéliste et au loin Gamonal et la Chartreuse de Miraflores...

La statue du Cid présidant l'un des ponts, devenu une vraie «voie du Cid», orné des personnages du Romancero; la Maison du Cordón et l'arc de Ste. Marie, bannière de la noblesse castillane... Et vers l'occident, les Huelgas Reales et l'Hôpital du Roi... Que de faits glorieux..., quel art suprême..., quelle gerbe fournie de souvenirs de St. Jacques dans cette capitale de Castille, noble, austère et incomparable...!

Burgos accueille le pèlerin et lui offre l'extrême beauté de **Gamonal.** Selon la tradition, la Vierge fit son apparition au Xème siècle à cet endroit. C'est ici que fut transporté au XIème siècle

Redecilla del Camino. Fonts baptismaux (12e siècle).

San Juan de Ortega. Tombeau roman de ce saint (12e siècle).

le Siège Episcopal depuis Oca. L'actuelle construction est de style gothique du XIVème siècle. Au XIIIème siècle fut crée la Confrérie des Chevaliers; selon ses institution de 1285, «on devait chanter les louanges de la Vierge». Les confrères devaient «combattre le taureau à cheval dans le champ attenant au Sanctuaire, la veille de Notre. Dame de Septembre, et l'offrir en aumône le jour suivant.»

Adelelmo, connu en espagnol sus le nom de Lesmes, fut un moine français qui consacra sa vie aux pèlerins. **L'église de St. Lesmes** est un des plus beaux édifices religieux de la ville. La façade est gothique avec des sculptures et des motifs géométriques de la fin du XVème siècle. En face de l'église et formant un ensemble monumental avec le pont et la porte à l'entrée de la ville, nous trouvons les ruines du Monastère et de l'Hôpital de St. Jean Evangéliste.

La Cathédrale est l'âme de Burgos. C'est l'évêque Mauricio et le roi Ferdinand III le Saint, qui posèrent la première pierre en 1221. Sur la façade principale se dressent les flèches aériennes de Jean de Cologne, dentelle flottante qui se pointe vers l'infini. La roche au toucher froid, devient une prière d'une beauté et d'une chaleur allucinantes. Sur la basse continue des arcsboutants, les pinacles ténors et les voix blanches des crêtes composent une polyphonie de pierre sur une toile de sang bleu...

La célèbre lanterne, bouillonnement flamboyant de stalagmites, se multiplie en aiguilles sur la croisée de nef, imitant les aiguilles gigantesques de la façade principale. St. Jacques Matamore campe sa figure sur ces trésors de l'art que tant de pèlerins ont admirés, appuyés sur la belle croix de la place du *Sarmental*, qui est contigue.

A l'intérieur de la Cathédrale, on vénère l'image du **St. Christ de Burgos** qui provient du couvent St. Augustin aujourd'hui disparu. Tout au long des siècles, les gens ont tissé une foule de légendes et de faits miraculeux. Il impressione par sa véracité: il est grandeur nature, son corps est tendu et sa peau couverte de plaies ensanglantées, d'un réalisme impressionnant.

La dévotion populaire est telle qu'elle prétend qu'il sue des gouttes de sang et que sa barbe pousse. Pour les pèlerins du Moyen-Age cette image était un Christ vivant en croix. De nombreuses chansons rapellent avec détails et émotion ce Christ que les pèlerins ne manquaient pas d'aller voir.

Pendant le règne d'Alphonse XI on créa la **Confrérie des Chevaliers de St. Jacques.** Elle garde jalousement un ancien Code qui constitue l'oeuvre la plus belle de l'art de la miniature à Burgos. Une suite impressionnante de Chevaliers confrères, au nombre de 295, défile à travers les pages de cette oeuvre d'art, très intéressante pour l'étude des vêtements et des blasons du XIV au XVIIIème siècles. Une de ses pages nous offre une très belle miniature de St. Jacques

Burgos. Ensemble de stalagmites gothiques sur le cimborium de la cathédrale. ▶

◀ Burgos.
«Santo
Cristo»
vénéré des
pèlerins.

Burgos.
Chartreuse de
Miraflores.
Saint-Jacques-
Pèlerin.
Retable
principal, par
Gil de Siloé.

Pèlerin. Une fois passé l'Arlanzón par le pont de Malatos, nous nous trouvons en face du **Monastère de las Huelgas Reales,** fondé par Alphonse VIII, avec des religieuses venues de Tulebras (Navarre).

Mises à part les innombrables richesses qu'elle renferme, la Chapelle de St. Jacques éveille notre curiosité de pèlerin : c'est une chapelle de style mauresque avec des chapiteaux de l'époque des califes. Sur un autel baroque se trouve cette très curieuse représentation de St. Jacques assis, de la fin du XIIIème siècle. Aucun homme ne pouvait armer chevalier un roi : ce St. Jacques de «l'accolade», aux bras articulés, donnait l'accolade aux rois et les armaient chevaliers. Ils étaient ainsi consacrés pour leur croisade apostolique contre les Maures au cri de «Santiago y cierra España», «St. Jacques et referme-toi Espagne» ; ceci ne signifie pas fermer les portes, comme l'interprètent et le supposent certains à tort, demandant ainsi à St. Jacques «d'ouvrir les portes de l'Espagne», mais «deserrer les rangs contre l'ennemi». A côté du monastère de las Huelgas, l'ancien **Hôpital du Roi,** fondé par Alphonse VIII, accueillait chaleureusement les pèlerins, comme le raconte avec maints détails l'archevêque Ximénez de Rada, qui dit : «miroir de toutes les oeuvres de miséricorde...» Aujourd'hui, son style dominant est le renaissant. Après avoir traversé la Porte des Romeros et laissé à droite l'Hôtellerie des Pèlerins, nous arrivons à la porte de l'église où nous pouvons admirer un bas-relief extraordinaire. Sur du bois de noyer un sculpteur de talent, probablement Valmaseda, a taillé, avec l'inspiration et le réalisme d'un génie, un authentique poème, d'une grande beauté dans sa composition et d'une expression vigoureuse dans ses détails ; elle représente la marche d'une famille de pèlerins vers Compostelle. St. Michel, la lance plantée dans le gosier ouvert du dragon, ouvre la marche. St Jacques les guide. Un dévot, un «frère» de l'hôpital, implore protection pour les pèlerins. Derrière, chemine la famille : la mère, sans interrompre sa marche, donne le sein à son enfant, tandis que le père donne la main gauche à un autre fils, déjà grand, fatigué par la route ; il tient dans la main droite un bourdon et regarde avec tendresse son fils et son épouse. Chapeaux, coquilles, gourdes et bourdons sont le contrepoint typique de ces vigoureuses silhouettes dynamiques qui avancent au rythme vivant de leurs anatomies parfaites. Il n'existe peut-être pas sur tout le Chemin de page plus humaine et réaliste sur un épisode du Pèlerinage.

De Tardajos à Hontanas

La route se poursuit par Tardajos et Rabé de las Calzadas, se séparant de l'actuelle route. A **Hornillos del Camino,** en emprun-

Burgos. Entrée de l'Hospital del Rey, «miroir de toutes les oeuvres de miséricorde», selon Rodrigo Ximénez de Rada. ▶

Hornillos del Camino. Rue du Pèlerin.

Castrojeriz. Vue partielle; au fond, le château blesse le ciel castillan de sa lance moisie.

tant la longue et large rue située sur le Chemin de St. Jacques, nous pouvons voir des frontispices anciens, l'Hôpital de Sancti Spiritus, et un ancien moulin, qui fonctionne toujours. C'est ici que l'on découvrit, il y a des années, des antiquités visigothiques. Lors de notre dernier voyage à Hornillos, nous avons pu constater qu'il avait été place une pierre sépulcrale visigothique, comme linteau sur une porte. A son retour de St. Jacques de Compostelle, c'est à Hornillos qu'exerça la charité dans un hôpital, celui qui devait s'appeler plus tard Jean La Misère, contre lequel Ste. Thérèse se fâcha, avec son habituel badinage, parce qu'il l'avait peinte d'une façon «laide et chassieuse».

Le Chemin continue par les ruines de San Boal et Hontanas, qui grâce à ses nombreuses sources fait encore honneur à son nom, et grâce à sa charité, à son héritage de ville des pèlerins.

Castrojeriz

Deux kilomètres avant Castrojeriz, les imposantes ruines de la fameuse hostellerie de St. Antón se délabrent; elles forment un pont gothique élevé et original sur la route même des pèlerins. Ouvertes dans le mur il y a deux «alhacenas» où le pèlerin qui arrive une fois la nuit tombée trouve toujours une ration pour rassasier sa faim après une dure journée à travers la steppe castillane.

Castrojeriz est le «Castrum Sigerici» de la chronique Albedense. Une rue de deux kilomètres et demi —celle des pèlerins— forme un arc sur le versant de la colline fortifiée et est l'unique artère importante du village. Tout en haut, fier et protecteur, le château rompt l'azur du ciel castillan, tandis qu'il tombe en ruines, impuissant devant le cours des jours et des nuits.

L'ancienne collégiale de Ste. Marie du Manzano est un véritable musée d'art: Alphonse X le Sage s'est fait l'écho, dans ses Chants, des miracles faits par cette Vierge. La sculpture de la Vierge du Manzano, du XIIIème siècle, est en pierre polychromée, recouverte d'une tunique bleue et d'un manteau rouge. La représentation de la Vierge du Pópulo du XIVème siècle, les divers tombeaux parmi lesquels on a récemment découvert et identifié celui de Léonore de Castille, épouse d'Alphonse IV d'Aragón; les tiroirs en noyer de la sacristie; le grand retable qui comporte six merveilleuses toiles du peintre allemand Mengs; un tableau de St. Jérôme signé par Bartholomé Carduccio en 1606; l'admirable Descente de Croix, la meilleure copie d'Espagne du tableau de Bronzino, dont l'original est conservé à Besançon (France); et à Sto. Domingo, les tapisseries, probablement de Beccio, d'après des cartons de Rubens; différentes images romanes et douze représentations sur bois d'origine flamande; le cloître St. Jean du XIVᵉᵐᵉ siècle, au magnifique plafond lambrissé de style mudéjar; ce sont autant de joyaux qui jalonnent la traversée de cette ville historique qu'est Castrojeriz.

Frómista

Par le Pont Fitero, avec ses 11 arches au-dessus du Pisuerga, frontière entre les provinces de Burgos et de Palencia, nous arrivons à Boadilla del Camino, à la splendide colonne gothique juridictionnelle du XVᵉᵐᵉ siècle et aux fonts baptismaux romans du XIIIᵉᵐᵉ Pour arriver à Frómista, nous traversons, en plein coeur de Tierra de Campos, les terres à blé, les fameux Campos Góticos. C'est là qu'arrive le Chemin qui descend des Monts Cantabriques par Reinosa et Cervatos jusqu'au centre de la Castille. Ce Chemin, qui est l'axe et l'orientation fondamentale de la reconquête espagnole, forme à Frómista, avec le chemin horizontal et européen des pèlerinages, la croix historique, symbole de la grandeur crucifiée de l'Espagne.

La reine Doña Mayor la Grande, veuve de Sanche le Grand de Navarre, fit construire vers l'an 1066, le Monastère de St. Martín dont l'église, restaurée en 1896, constitue la principale attraction artistique de la ville et l'un des sommets de l'art roman du Chemin de St. Jacques: c'est un chapître admirable de l'encyclopédie romane de l'art engendré par les Pèlerinages. La vue et l'esprit sont charmés par cette merveille, admirable par ses proportions, son unité de style et la variété et perfection de ses 315 modillons. L'intérieur comprend trois nefs. La joie ascensionnelle de la lanterne triomphe sur les trompes coniques qui font du carré initial un octogone parfait, couronné par une coupole admirable. Ses chapiteaux vigoureux et expressifs nous surprennent par leur beauté.

L'Hôpital des Palmiers avec ses arcades typiques du XVIᵉᵐᵉ siècle est devenue une hôtellerie moderne qui accueille le pèlerin d'aujourd'hui. La statue de St. Telmes, patron des navigateurs, né à Frómista en 1190 et enterré à la Cathédrale de Tuy, attire notre regard. Il faut également visiter l'église de Notre Dame du Château avec son retable aux vingt et un panneaux admirables castillans sous les dais gothiques.

Villalcázar de Sirga

Villalcázar de Sirga est une des surprises du Chemin. L'église Ste. Marie la Blanche dresse sa silhouette gothique au-dessus du petit hameau; datant du XIIIᵉᵐᵉ siècle, c'est une réalisation de première qualité, exceptionnelle par sa taille, sa beauté admirable et

Frómista. Statue de Saint Telmo; au fond, l'ancien hôpital de Palmeros.

*Villalcázar de Sirga. Détail du tombeau de l'infant Philippe, et cheva-
lier disant au-revoir à sa dame.*

sa saveur typique. La représentation de pierre de la Vierge de las Cantigas du XIIIème siècle attira par ses miracles des milliers de pèlerins qui, à leur retour, les racontaient à travers toute l'Europe. Sa dévotion fut un des grands buts du Chemin de St. Jacques. Alphonse X le Sage fut le plus sublime chanteur de ses prodiges.

La chapelle St. Jacques constitue un musée de sculpture médiévale de valeur. Outre d'autres pièces remarquables, telle une très curieuse statue de la Vierge enceinte, le tombeau de Don Philippe, fils d'Alphonse X, celui de sa seconde épouse Léonore de Castro, et celui d'un chevalier de St. Jacques, sont des oeuvres de premier ordre qui nous font connaître, avec un réalisme très castillan, les coutumes funéraires du Moyen-Age. Nous pouvons aussi admirer un bas-relief curieux qui représente un chevalier disant adieu à sa dame. La pierre polychromée, étonnée de sa propre beauté, semble animée de palpitations presque humaines.

Carrión de los Condes

C'est là qu'est née une grande figure de notre littérature : le marquis de Santillane (1398-1458), auteur des «Serranillas», «Canciones» et «Decires», dont la maison existe toujours, non loin de la place.

Le Guide du XIIème siècle qualifie Carrión de ville florissante et abondante en produits de toutes sortes ; ce qui est confirmé par Idrisi, auteur arabe de la même époque.

L'église **Ste. Marie du Chemin ou de la Victoire** est un édifice roman du XIIème siècle avec un frontispice puissant. Selon la croyance populaire, les taureaux et autres figures qui sont sensées représenter des maures et de jeunes chrétiennes, feraient allusion au tribut des 100 vierges que l'on payait aux musulmans à l'endroit où est construite cette église. A l'intérieur, un tableau représente même ce même fait légendaire.

Presqu'au centre de la ville, dans la rue appelée par antonomase la «Rúa», **la façade romane de St. Jacques** nous laisse béats d'admiration. Elle date du XIIème siècle et son frontispice présente un arc orné de 24 figures représentant des prophètes, des musiciens, des combattants, des potiers... La frise supérieure nous offre une excellente représentation des apôtres, semblable à d'autres du Chemin —Sangüesa, Estella...— et en son centre un superbe Christ-Majesté entouré des symboles des évangélistes, oeuvre d'une grande finesse et d'une extrême vigueur. Ce Christ de Carrión réunit la sérénité de celui de Chartres et la majesté de celui du Portique de la Gloire, et constitue l'un des plus impressionnants Christes-Majesté de tous les temps. De l'autre côté du fleuve Carrión se dresse le **Monastère de St. Zoilo,** fondé au XIème siècle. Il ne reste pratiquement rien de

Carrión de los Condes. Façade de l'église romane de Santiago (12e siècle), avec la frise des Apôtres, présidée par le Christ de Majesté de la couronne mystique et le Tetramorphe.

Sahagún. Église de Saint Thirse, première de l'art roman à briques
(12e siècle).

l'oeuvre romane. Par contre, il possède un cloître renaissant commencé avec beaucoup de goût par Jean de Badajoz au XVIème siècle, et les tombeaux des comtes, de Pierre le Peintre au XIIIème siècle. On vient de créer un Musée renfermant des surprises savoureuses pour les amateurs d'art.

Le Chemin continue par les ruines de l'abbaye de Benevívere, Calzadilla de la Cueza et St. Nicolás du Real Camino et arrive à Sahagún.

Sahagún

Sahagún de Campos est le premier village de la province de Léon. **L'église de la Peregrina,** dont la partie mauresque tombe en ruines, domine le village; les élégantes tours carrées de l'époque du roman de brique dominent les toits. Alphonse VI, roi du Mío Cid, Redonna vie au XIème siècle au **Monastère de St. Facundo** qui donna son nom à la ville (Sant Facund, Sahagún), le confiant aux moines de Cluny. Sahagún. est devenu le «Cluny» espagnol, un des monastères les plus puissants et les plus riches de la péninsule.

L'abbaye était un colosse… aux pieds d'argile. Ce village léonais, indépendant et foncièrement libre, se rebella contre cette institution féodale française. Ces luttes ainsi que le pouvoir et la richesse du monastère furent la cause de son effondrement: de cette grandeur passée il ne reste que d'insignifiantes ruines.

L'église de St. Tirso de style mudéjar fut construite en brique. Ce lieu saint du XIIème siècle et **l'église St. Laurent** du XIIIème nous mettent en contact avec les origines de l'art mudéjar en Espagne. Ce sont des oeuvres de maçonnerie mauresque, avec des tours carrées au-dessus de la chapelle principale et ornées d'une arcature aveugle; elles ont généralement trois grandes nefs et une charpente en bois, réalisations précoces des splendides plafonds à caissons de l'art mudéjar espagnol du XIVème siècle.

Malgré sa création récente, **le Musée Municipal installé dans le couvent des Bénédictines** est intéressant à visiter. C'est dans l'église de ce couvent qu'on transporta, depuis la fermeture du monastère, les dépouilles d'Alphonse VI et de certaines de ses cinq épouses. **Frère Bernardin de Sahagún,** grande figure de l'anthropologie mexicaine, naquit aussi dans cette ville. Cet homme exceptionnel, qui sut devancer son époque, forma une équipe d'indigènes auxquels il enseigna même à écrire correctement le latin. Avec l'aide de cette équipe d'«informateurs», il a recueilli une série de donnés et de dessins dont on a prouvé scientifiquement l'exactitude en plein XXème siècle. Il écrivit diverses oeuvres en langue indigène, en latin et en castillan avec une rigueur toute scientifique. Des libres et des oeuvres sur sa vie ainsi que des traveaux sur ses recherches

Sahagún. Ostensoir, d'Enrique d'Arfe (16e siècle).

Église de Berclanos del Real Camino, humble village de la province de León.

Par les «*vieux*» Chemins,
suivant les «*anciennes*» coutumes,
les pèlerins «*d'aujourd'hui*»,
opiniâtres, chevauchent, emplis de foi...

Murailles de Mansilla de las Mulas.

Extérieur de l'église mozarabe de San Miguel de Escalada, consacrée en 913.

sont publiés en grand nombre chaque année au Mexique, où on le connaît et l'admire mieux et d'avantage que dans sa propre patrie...

Mansilla de las Mulas

Les pèlerins arrivaient à Mansilla de las Mulas après une rude journée dans les landes léonaises à travers Bercianos del Real Camino et Burgo Ranero, village à l'entrée duquel Laffi découvrit un pèlerin mort sur le point d'être dévoré par les loups.

L'enceinte fortifiée de Mansilla de las Mulas, une des plus belles oeuvres médiévales de ce genre, reflette ses créneaux ébréchés dans l'Esla qui lui sert de fossé naturel au Nord-est. Ce bourg est la patrie de la protagoniste d'un livre connu dans la picaresque espagnole du XVIème siècle, «La Pícara Justina», aubergiste qui part en pèlerinages et les raconte sur un ton badin, joyeux et ironique. Laissant sur notre droite l'église St. Miguel de Escalada, intéressante et de style mozarabe, et après avoir franchi l'Alto del Portillo, nous nous dirigeons vers une ville très noble, synthèse d'art et d'histoire :

Léon

Ville deux fois millénaire, camp romain de la célèbre «Legio VII Gemina», successeur de la forteresse dévastée de Lancia. Durant le Haut Moyen-Age, le royaume de Léon devint une des étapes fondamentales du Chemin de St. Jacques. Dans cette ville, se rejoignaient les pèlerins qui avaient emprunté le Chemin français, et ceux qui venaient par la côte et par St. Salvador d'Oviedo, traversant la Chaîne Cantabrique par Pajares et Arbas. Voici Léon : un sommet historique et artistique aux deux versants manifestes, la guerre et le pèlerinage.

Les pèlerins y pénétraient par le cuartier de Ste. Anne, quartier des marchands, des juifs et des maures où régnait une ambiance d'escrouqueries et de sombres histoires de rues dont se fait l'écho l'«Aubergiste de Mansilla». Ils passaient par l'église **Ste. Marie du Marché,** appelée autrefois **Vierge du Chemin,** vocable typique de l'époque du pèlerinage ; c'est un saint lieu du XIIème siècle, plus large dans sa partie principale qu'au bout, tel un sarcophage.

Léon donne au monde trois leçons d'art : roman à St. Isidore, gothique à la Cathédrale et renaissant à St. Marc.... Gloire de Léon et de l'Espagne, la **«pulchra leonina»,** du XIIIème siècle, est l'une des cathédrales les plus belles au monde. La pureté des lignes architecturales qui réduisent la matière aux appuis indispensables et la perfection plastique des sculptures des portiques sont rehaussées par la lumière que l'espace intérieur, de sa baguette chromatique, dirige en une symphonie de couleurs et de soin extrême.

La très belle Vierge Ste. Marie la Blanche, au sourire séduisant, préside le frontispice central depuis le meneau; c'est une copie fidèle. Escortant la Vierge, les statues des Apôtres, parfaitement taillées, parmi lesquelles nous reconnaissons celle de St. Jacques: sur la pierre usée de la petite colonne qui le soutient, les traces des baisers et le frottement des médailles des pèlerins, sont parvenus à blesser la pierre gothique, en quête de protection pour la route...

L'intérieur, gigantesque et d'assise parfaite, nous offre un spectacle grandiose de lumière et de couleurs. Sa hauteur gracieuse et sa profondeur sont richement éclairées par la meilleure collection de vitraux d'Espagne, du XIIIème et XVème siècles, qui occupent une superficie de 1.800 m^2. En les voyant Miss King s'exclame: «C'est l'unique église où l'on se sente comme au coeur d'un joyau»... Et Walter Starkie d'ajouter: «Dans cette Cathédrale sont réunies toutes les couleurs de l'aurore et du coucher de soleil du paradis»...

Il est impossible de décrire, ni même d'énumerer, les richesses que renferment cette cathédrale. Mais il y a quelque chose qui comble outre mesure notre curiosité, par son côté humain et typique: **la fête des «Cantaderas»** ou fête du «Forum ou Offrande», qui commémore chaque année la libération du tribut discrédité des 100 vierges. Un cortège voyant de jeunes filles vêtues du costume régional et dansant allègrement se rend à la cathédrale, précédé de musique et d'un char rempli d'offrandes qui fait le tour du cloître. C'est là qu'a lieu un curieux duel littéraire entre un représentant du Chapitre et un de la Mairie. Le premier soutient qu'il s'agit d'un «Voeu obligatoire» fait par l'autorité civile à St. Jacques et qu'il le reçoit comme tel. Le représentant de la Mairie maintient pour sa part que ce n'est pas un voeu, mais qu'il s'agit d'une «offrande», d'un don volontaire. Tout se termine à l'amiable et le don tant contesté s'appelera «fête du Forum ou Offrande».

Ferdinand I, fils de Sanche le Grand de Navarre et son épouse doña Sancha firent construire au XIème siècle l'actuelle **basilique de St. Isidore** que nous admirons aujourd'hui. Elle est romane, à trois nefs et trois absides. La Porte du Pardon, oeuvre du maître Esteban qui fit le frontispice des Platerías de Compostelle, nous charme par son art exquis. La superbe porte principale nous offre l'incomparable tympan du mouton, le premier à être orné de scènes et de figures humaines et non, comme il était de tradition, du simple Chrisme. Tout en haut du frontispice se trouve un autre matamore, le docteur sévillan, de style renaissant. La grande richesse artistique de cette basilique occupe un rang exceptionnel dans le Portique ou Panthéon des Rois. Ses peintures à la détrempe, du XIIème siècle, sont un grand parchemin, une page sublime arrachée d'un manuscrit et placée sur la voûte. Assis sur l'arc en ciel, le livre de la Vie à la main, le Christ ordonne le monde de la rédemption. Le grand

León. San Isidoro. Vue de la nef du transept (11e-12e siècles).

León. Cathédrale. «C'est la seule église où l'on se sent comme dans le coeur d'un bijou» (Miss King). ▶

Principal frontispice ouest ou de la Vierge Blanche de la Cathédrale de León: la sculpture centrale correspond à Saint-Jacques en habit de pélerin, pendant que la petite colonne de son piédestal apparaît usée par les mains des pélerins.

◄ *San Isidoro de León. «Calendrier roman», peintures murales du Panteon de los Reyes (12e siècle).*

León. Cathédrale. Tombeau de l'évêque Martín Rodríguez avec, sur le front, la représentation de ses aumônes aux pèlerins pauvres.

León. San Marcos. Un hôpital des pèlerins négligé.

León. Frontispice du couvent de San Marcos.

*León. Place du «Grano» et église de la Vierge du Camino,
aujourd'hui de Santa María del Mercado.*

hispanisant Walter Starkie nous confesse: «la vérité est que j'ai eu l'impression de pénétrer dans une grotte et d'avoir soudain une série de visions qui flottaient en sortant des tombes royales... Ces peintures sont si spectrales qu'on dirait des émanations de l'esprit des rois et des reines, ou l'esprit ardent de St. Isidore lui-même».

La grande Hôtellerie de St. Marc, couvent de l'Ordre de St. Jacques, est un bijou, style renaissance, de Léon. Ce sont les Rois Catholiques qui entreprirent la construction du bâtiment actuel. Sur la façade, un bas-relief de St. Jacques Matamore et toute une série de médaillons à l'effigie d'empereurs, de rois et autres personnages; en face, se trouve la croix du XVème siècle, amenée du haut du Portillo. Les coquilles St. Jacques décorent à profusion la façade de l'église annexe. A sa droite, il existe toujours, en partie, l'édifice qui fut l'hôpital des pèlerins, aujourd'hui abandonné et oublié. C'est dans ce couvent que vécut ses années de prison Francisco de Quevedo; chevalier de l'Ordre de St. Jacques et défenseur du patronage exclusif de St. Jacques sur l'Espagne. Ce couvent a été transformé, de nos jours, en un des plus luxueus hôtels d'Europe.

Traversant le pont sur le Bernesga, le pèlerin poursuit sa route vers Astorga.

Virgen del Camino

Le sanctuaire de la Virgen del Camino nous donne une leçon d'art moderne et de bon goût avec son architecture toute récente et ses représentations religieuses.

Sur la route-même du pèlerinage la Vierge apparaît à un berger du XVIème siècle. Une nouvelle église remplace l'ancienne. Sur le très haut clocher de béton, la croix qui oriente les pèlerins est la version moderne, au milieu de la lande léonnaise, des vénérables croix de St. Jacques. La splendide façade surprend l'esprit: les Apôtres, paysans léonnais immortalisés dans le bronze, oeuvre du sculpteur Subirachs, entourent la Vierge, agités tels des langues de feu par un vent de Pentecôte. St. Jacques tient dans sa main gauche un solide bourdon et nous signale la bonne direction du Chemin vers Compostelle.

Hospital de Orbigo

Le long pont irrégulier sur l'Orbigo nous remet en mémoire l'aventure chevaleresque du «Paso Honroso de armas». Son protagoniste, Suero de Quiñones, est le prédécesseur direct de Don Quichotte: c'est le premier chevalier errant d'Espagne, avant Don Quichotte lui-même, à faire allusion à son exploit et à s'exclamer:

«Qu'on dise que les tournois de Suero de Quiñones del Paso furent une plaisanterie».

Avec neufs compagnons il organise en 1434, Année Sainte de St. Jacques ou du Pardon, un tournoi d'armes pour conquérir sa dame, Doña Léonore Tovar. A la fin des tournois, Suero de Quiñones et ses compagnons, dont les noms et le sounir sont perpétués sur des monolithes du pont, entreprennent un pèlerinage sur la tombe de l'Apôtre devant lequel le vaillant capitaine offre, comme ex-voto du Paso Honroso si mémorable, un anneau d'argent doré qu'actuellement porte autour du cou le buste de St. Jacques el Menor dans la chapelle des reliques de Compostelle. L'idéal chevaleresque et l'idéal guerrier et religieux, très souvent intimement liés, formaient la trilogie qui animait l'âme médiévale.

Astorga

La ville d'Astorga, la «Astúrica Augusta» des romains, ressemble, parmi la brume des siècles et les falaises de ses vieux remparts, à un navire démâté que le poids de l'Histoire et la négligence des humains font couler peu à peu. Venant de Léon et traversant les remparts, nous contemplons sur la gauche l'entrée de la Puerta Sol, par où les pèlerins entraient dans cette ville; de chaque côté de cette porte, l'hôpital St. Stéphane, aujourd'hui des Cinq Plaies, et le couvent de St. François. En haut de la façade de la Mairie, deux maragatos (N.d.T.: de la province de Léon, la Maragatería), les personnages populaires Colasa et Perico, sonnent les heures de cette ville paisible sur le bronze, tels les exécutants d'une danse rituelle du temps.

Il est impressionnant de contempler la fenêtre des **«recluses de Ste. Marthe»,** gardée par des barreaux de fer portant l'inscription latine: «Souviens-toi de ma condition. La mienne hier, et la tienne aujourd'hui...» Il semble que ce fut une prison volontaire —ou peut-être forcée—, pour les femmes qui menaient une vie plus ou moins mondaine. Compatissants, les pèlerins déposaient entre les barreaux un morceau de pain.

Près de la cathédrale et sur les remparts moyenâgeux, Astorga réserve au voyageur la vision insolite **du Palais épiscopal.** A la fin du siècle dernier, Antonio Gaudí laissa dans la pierre de granit d'une blancheur surprenante une des réalisations les plus finies de son génie et esprit inventif. En importance, on ne peut la comparer qu'avec la Ste. Famille de Barcelone. Château enchanté, temple et musée, ce Palais néogothique constitue une autre des perles insoupçonnables que le pèlerin admire à Astorga.

A l'heure actuelle, nous sommes accueillis par le **«Musée des Trois Chemins»,** en souvenir des trois routes qui passaient par cette ville: le chemin des muletiers maragatos, voyageurs incorrigibles qui parcouraient toutes les routes; le chemin de la civilisation romaine et celui de St. Jacques.

Hospital de Órbigo. Pont du «Paso Honroso».

Astorga. Vue du palais du Gaudí, cathédrale et murailles.

Astorga. Façade de la mairie (17e siècle).

Astorga. Musée de la cathédrale. Reliquaire d'Alfonse III (10e siècle).

La cathédrale Sainte Marie est le monument le plus renommé d'Astorga. Selon la tradition, cette église apostolique a été fondée par St. Jacques et St. Paul, tradition que l'on retrouve sur un des bas-reliefs de son frontispice. La façade baroque, d'une pierre rosée, resplendit au soleil de la tombée du jour. A gauche, il existe toujours l'hôpital St. Jean, fondé au XIIème siècle et appelé par antonomase au Moyen-Age «l'hôpital d'Astorga». L'interieur de la cathédrale, aux trois nefs gothiques, est rehaussé par le grand retable renaissance, oeuvre magistrale de Gaspar Becerra, le Michel Ange espagnol. Le musée de la cathédrale nous étonne par la richesse de ses images romanes et autre oeuvres d'art.

Rabanal del Camino

D'Astorga à Ponferrada les pèlerins pouvaient suivre deux routes: la plus récente par le Col du Manzanal qui suit la route actuelle, ou l'ancienne, par Rabanal del Camino et Foncebadón, que, pour notre part, nous préférons.

Nous franchissons les Monts de Léon et traversons toute la Maragatería avec ses villages aux coutumes millénaires, comme celui que nous laissons sur notre droite: Castrillo de los Polvazares, célèbre pour ses noces typiquement léonnaises.

Rabanal del Camino émerge des souvenirs du passé. C'est un village typique avec une longue rue située sur le Chemin et une église paroissiale intéressante, saint lieu roman avec des vestiges du XIIème siècle; il rassemble les caractéristiques propres au roman léonnais, comme on peut l'observer encore sur le petit frontispice qui donne accès à la sacristie.

De là, après une côte abrupte de six kilomètres, nous arrivons au point le plus haut de ce parcours castillan-léonnais.

Foncebadón

Sur le versant oriental du mont Irago, écrasées sous les toits de paille, se trouvent les quelques maisons ou «pallozas» qui restent à Foncebadón. C'est une zone ancrée dans le Moyen-Age, face au mythique Teleno (2.188 m.).

C'est ici que prennent tout leur sens les vers de Leopoldo Panero, poète d'Astorga qui écrivit en contemplant les sereins couchers de soleil:.

> *«La moitié de la planète s'obscurcit*
> *sur les versants du Teleno…»*

On peut encore voir, à la sortie du village, le gros mur en ruines de l'ancienne hostellerie.

Un peu plus haut, à l'endroit le plus froid de notre parcours, la frontière entre Maragatería et le Bierzo, à 1.500 m. d'altitude, est marquée par une simple croix:

«La Croix de Ferro»

Nous sommes impressionnés par le silence profond..., ces solitudes primitives..., ce très saint Chemin de St. Jacques qui vainc les cimes, se confondant presque dans son désir d'élévation avec son homonyme des étoiles...

Au bord de la route, gardienne des siècles et des chemins, la croix la plus simple et la plus émouvante, qui malgré sa fragilité a défié le temps et les monuments les plus solides et orgueilleux. Une croix d'un mètre et demi se dresse sur un mât de bois de plus de cinq mètres de hauteur cloué sur un cône de pierres millénaires. Des pèlerins, des voyageurs et des travailleurs galiciens ont déposé peu à peu ces pierres à travers les siècles, comme des prières ou des soupirs pétrifiés... C'est ici que se dresse, bannière au vent des siècles, cette croix insolite, fin de notre seconde étape; elle fortifie avec son bâton vertical notre foi de pèlerin et bénit de son bras étendu notre marche obstinée.

L'austère Croix del Ferro. Foncebadón.

CHEMIN GALICIEN

De Ponferrada à Saint Jacques de Compostelle, Padrón et le Finisterre

Des Pyrénées à Nájera —chemin navarrais—; de St. Domingo de la Calzada à Foncebadón —chemin castillan-léonnais—, nous cheminons par cette artère ouverte sur les collines de l'Espagne médiévale, aux portes de la Galice, troisième et dernière étape de notre pèlerinage. Par Ponferrada et Villafranca del Bierzo, par Cebrero, Portomarín et Lavacolla, nous arrivons par le Mont du Gozo, à St. Jacques de Compostelle. C'est là notre but: l'aimant qui tout au long des huit cents kilomètres a attiré notre regard et guidé nos pasparce Chemin français tant vénéré que nous appelons par antonomase «Le Chemin de St. Jacques».

Ponferrada

Descendant rapidement depuis la Croix de Ferro et passant par Manjarín, village abandonné récemment, par El Acebo et Molinaseca, à la saveur typique de St. Jacques, nous arrivons à la ville industrielle de Ponferrada, centre d'une active région minière. L'évêque Osmundo fit construire au XIème siècle un pont en granit pour le passage des pèlerins; renforcé par des garde-fous en fer, il est devenu le «Pons-Ferrata» qui donna son nom au bourg situé a proximité. Sur le talus du Sil, dominant le hameau et protégeant le passage des pèlerins par le pont, se dresse le formidable bastion militaire du château des Templiers, aujourd'hui presqu'en ruines, un des plus connus du nord-est de la péninsule. C'était un énorme ensemble de tours superposées, de remparts épais et de barbacanes robustes, en grande partie du XIIème, XIIIème et XIVème siècles, dernier réduit de l'Ordre du Temple en Espagne.

Non loin de ses ruines se trouve la basilique de la Vierge de la Encina ou du Chêne, dont l'image a été trouvée par les chevaliers du Temple dans une chênaie des alentours, vers l'an 1200. L'usine actuelle date du XVIème siècle.

El Bierzo

Depuis ce sanctuaire de la Patrone du Bierzo, nous contemplons cette région, véritable Thébaïde léonnaise peuplée de moines, d'anachorètes et d'ermites visigoths, sencondés par les mozarabes et ceux de l'époque romane: Compludo..., Peñalba..., Montes..., Valle del Silencio..., Campo de las Danzas..., furent la demeure

118

*La tour surnommée de l'Horloge, unique reste de la muraille
de Ponferrada.*

ascétique de Fructuoso, père du monachisme espagnol, et de ses disciples Valerio et Genadio. Les pèlerins qui passaient par El Bierzo entendaient parler de ces temples mozarabes, des mines romaines des Médulas, et de la forge médiévale de Compludo ; trois originalités qui subsistent encore dans cette région exceptionnelle.

Au coeur du Valle del Silencio et sur le versant de l'imposante masse de pierres de la sierra Aquiliana, **l'église mozarabe de St. Jacques** en impose par son élégance suprême. Depuis 937, Peñalba possède un svelte frontispice à double arc en fer à cheval, qui contraste par son élégance avec les montagnes sauvages. Elle a une seule nef et deux façages, curvilignes à l'intérieur mais carrées à l'extérieur. Bref : un cadre souverainement artistique dans des paysages impressionnants entourant la vie ascétique des anciens moines. St. Thomas de las Ollas, à un kilomètre de Ponferrada, St. Michel de la Escalada, non loin de Mansillas de las Mulas, et St. Jacques de Peñalba, dans le Valle del Silencio, forment les trois étapes de l'art mozarabe du $x^{ème}$ siècle qui éclairent l'aube artistique de Léon durant la Reconquête.

Près du Chemin de St. Jacques, non loin de El Acebo, il existe encore à **Compludo une forge médiévale.** Au pied du mont Irago, Compludo fut au $vii^{ème}$ siècle la première fondation monacale de St. Fructuoso. En plein $xx^{ème}$ siècle, le forgeron perpétue, sans le savoir, le rite médiéval du travail fait accroupi. L'eau actionne le marteau-pilon ou «mazo», dont les coups secs, résonnant dans les trouées des montagnes, pareils à des timbales au son rauque, font trembler le coeur des voyageurs. Mais ce qu'il y a de plus original et d'extraordinaire est le secret transmis de père en fils : la façon de produire de l'air pour la forge ; en se servant uniquement d'eau et sans aucun soufflet, le forgeron obtient un impressionnant flot d'air continu qui avive le crépitement de cette insolite forge médiévale. Rome emporta une telle quantité d'or du Sil que cela fit baisser la cote de ce dernier dans la capitale de l'Empire. Montagnes délabrées et pleines de brèches, énormes cônes de terre rougeâtre, sept canaux échelonnés sur les versants des montagnes, aux parcours dépassant les quarante kilomètres et retenues colossales... voilà tout ce qu'il reste **des mines romaines de las Médulas,** le monument le plus fantastique du génie minier romain, qui fut seulement possible grâce aux soixante mille esclaves qui travaillaient en même temps dans cette véritable «oeuvre de romains».

Mines romaines de las Médulas, forge médiévale de Compludo et églises mozarabes de Peñalba et de St. Thomas de las Ollas : trois aspects différents et intéressants qui nous font connaître la richesse historico-artistique unique de ce légendaire et presqu'inconnu Bierzo, sillonné d'est en ouest par le Chemin de St. Jacques.

Ponferrada. Château des Templiers (13e siècle).

*Las Médulas. Mines romaines: «Témoignage de sang rouge et es-
clave» (Luis A. Luengo).*

Herrería de Compludo. Les coups secs de sa massue résonnent dans les dépressions et font trembler d'émotion le coeur du pèlerin et des voyageurs.

Santiago de Peñalba. Frontispice. Dans la vallée silencieuse l'église mozarabe de Santiago donne un ton d'élégance suprême face aux fières chaînes de montagne.

Cacabelos

L'actuelle église paroissiale de Cacabelos conserve une abside romane que l'on peut voir depuis la rue des pèlerins. A deux kilomètres se trouve un autre joyau du Bierzo, le monastère cistercien de Carracedo qui abrite le palais royal roman du XIIIème siècle, le seul de la monarchie léonnaise encore debout. Après le passage de la rivière Cúa, le sanctuaire de la Quinta Angustia, déjà mentionné en 1199, se trouve sur notre route. Outre la belle image de la Dolorosa, on peut admirer sur la porte de la sacristie un curieux bas-relief représentant St. Antoine jouant aux cartes avec l'Enfant Jésus.

Villafranca del Bierzo

Villafranca del Bierzo surgit devant le pèlerin comme une terre promise —l'eden del Bierzo— parmi les vignobles et les champs d'arbres fruitiers. L'église et le couvent de la Anunciata; celle de St. François, avec un fròntispice roman et un splendide plafond à caissons mauresque; le grandiose couvent des Jésuites aujourd'hui des Lazaristes; et le château aux donjons arrondis, sont un témoignage de la splendeur de Villafranca.

A l'entrée du hameau se trouve **l'église romane de St. Jacques** dont la porte du Pardon donne sur le Chemin. Ceux qui pour des motifs fondés ne pouvaient se rendre à St. Jacques gagnaient là les mêmes indulgences qu'à Compostelle; de même que dans la ville de l'Apôtre, la veille de chaque année jubilaire, on ouvre les battants de cette porte, renouvelant ainsi le rite de St. Jacques pour accueillir le pèlerin dévot.

Les pèlerins descendaient par l'une des plus belles rues de tout le Chemin: la **rue de l'eau,** exceptionnelle par sa profusion d'écussons nobiliaires, ses façades aux arcs et aux balcons de fer forgé où des fleurs chantent le contre-point de ses couleurs et parfument le souvenir des deux gloires de Villafranca: le père Sarmiento, polygraphe, et Gil y Carrasco, romancier et chanteur du Bierzo. Ses maisons ancestrales, rapprochées les unes des autres, surplombent cette rue qui n'est que beauté et suggestion.

Près de la rivière Burbia, en face du quartier typique des Tisserands dont les maisons blanches semblent ne faire qu'un avec le flanc de la montagne, se dresse **la Collégiale,** reconstruite en 1533 sur l'ancienne abbaye bénédictine. On avait pensé bâtir une cathédrale; s'il en avait été ainsi d'après les plans de R. Gil de Hontañón, qui travaillait alors à la cathédrale d'Astorga, cela aurait constitué une des églises les plus merveilleuses de la région. Après Villafranca,

Villafranca del Bierzo. La rue de l'Agua (eau), l'une des plus belles du pélerinage.

Villafranca del Bierzo. Collégiale de Santa María.

Villafranca del Bierzo. Porte du Pardon, dans l'église romane de Santiago.

la vallée devient étroite et emprisonnée entre les montagnes: Val-cárcel, vallée-prison. Nous passons par Vega de Valcárcel, à l'ombre du château de Sarracín, et nous arrivons à Herrerías. C'est là que commence la montée vers Cebrero.

El Cebrero

Après une interminable montée abrupte et sinueuse, le pèlerin arrivait, fatigué, à El Cebrero, bastion de foi et sommet géographique et mystique à l'entrée de la Galice.

Sur ces hauteurs (1.1000 m.) battues une grande partie de l'année par les bourrasques, couvertes de neige et enveloppées d'un brouillard persistant s'établit, peut-être depuis le IXème siècle, un monastère comprenant église et hôpital au service des pèlerins. Le passage de Cebrero est comparable en importance et difficulté à ceux de Roncevaux et de Somport dans les Pyrénées, de Pajares entre Léon et Oviedo et du mont Irago entre Astorga et Ponferrada. L'hostellerie restaurée de St. Giraldo, soutien et espoir du pèlerin fatigué, maintient allumé le feu de la charité parmi la neige et le froid.

El Cebrero constitue un de ces lieux survivants qui nous transportent dans les siècles passés et nous font pénétrer dans les tréfonds du présent. C'est là que commence la Galice: son symbole musical est la cornemuse galicienne, la cornemuse celte. Sur le bourdon de son âme tendue, la mélodie égraine sa mélancolie et met au coeur de la Galicie entière un tressaillement d'aube:

> «Ma cornemuse galicienne
> a les sentiments d'une personne,
> parfois elle chante et rit,
> parfois elle gémit et pleure...»

Et comme contre-point aigre-doux, le «aturuxo» ou cri celte de défi, de joie plaisante ou de guerre, saute de cime en cime, retentit de vallée en vallée comme l'écho lointain de siècles insondables qui serre le coeur et voile la vue.

Les galiciens conservent beaucoup de coutumes ancestrales. El Cebrero en est un bon exemple avec ses «pallozas» qui forment une véritable «citania» celte à côté du sanctuaire. Les pallozas, de forme ovale ou arrondie, aux toits généralement coniques recouverts de chaume ou de paille, rappellent sans aucun doute possible celles qui furent construites sur les hauteurs préhistoriques de l'âge de fer au nord-est de la Péninsule. On les destine aujourd'hui à servir de musée ethnologique galicien.

El Cebrero. Sommet géographique et mystique à l'entrée de la Galice.

El Cebrero. Calice du miracle. ▶

L'église de El Cebrero conserve toujours sa partie principale, asturienne et du IXème siècle. Elle fut reconstruite au XIème siècle et restaurée avec adresse en 1962. Le sanctuaire de El Cebrero doit en grande partie sa renommée au miracle qui a eu lieu, selon le Père Yepes, vers l'an 1300, et raconté dans les bulles pontificales et autres documents: Au cours d'une messe célébrée par un prêtre de peu de foi et à laquelle assiste, malgré la neige et le froid, un paysan du petit village de Barjamayor, l'hostie se convertit en chair visible et le vin en sang. Les Rois Catholiques, émerveillés par ce miracle, offrirent les fioles en cristal de roche où sont conservées les reliques de ce prodige. Le calice du miracle est un joyau roman de très grande valeur. Charles V, invité à l'admirer, dit qu'il n'avait pas besoin de le voir, car il croyait; que le voie, pour être confondu, l'hérétique qui niait. Le récit de ce miracle eucharistique se répandit à travers l'Europe entière grâce aux pèlerins. Certains auteurs veulent y voir là l'origine de la légende bretonne de Walfran, immortalisée ensuite par Wagner dans sa musique de Parsifal. El Cebrero serait le mont mystique où aurait eu lieu le miracle du St. Grial galicien, propagé par les pèlerins en Europe. Le château proche de Balboa serait la forteresse parsifalienne de Klingsor.

Triacastela

Depuis El Cebrero, les pèlerins poursuivaient leur route par les crêtes des montagnes. Après avoir dépassé Linares et Padornelo par le Alto de Sta. María del Poyo, ils descendaient vers St. Jacques de Triacastela. Fin d'une étape, ce village posséda hôtelleries et hôpitaux. Il est curieux de constater l'existence d'une prison pèlerins: ses barreaux sont de solides madriers; sur les planches on peut voir différentes inscriptions et divers coqs, symbole français de la liberté tant désirée. A Triacastela on a récemment érigé un Monument au Pèlerin.

Samos

La route s'écarte maintenant du Chemin primitif qui passait par St. Gil, Pintín et St. Mamed del Camino. Certains voyageurs visiteront comme nous-mêmes, le Monastère grandiose de St. Julien de Samos, dont l'église présente une splendide façade baroque. Elle existe au moins depuis le VIIIème siècle et abrita des moines mozarabes venus de Cordoue et de Tolède. Plusieurs fois incendiée, on l'a reconstruite. Dignes d'être admirés sont les cloîtres du monastère, l'un avec la statue du Père Feijóo et l'autre avec la fontaine monumentale des Néréides. Près du monastère, à l'ombre d'un

Samos. Façade de l'église de l'Abbaye.

cyprès élevé, se dresse une chapelle dont certains éléments sont mozarabes, peut-être du xème siècle.

Sarria

Nous quittons l'étroite vallée de Samos, si cachée parmi les hautes montagnes et qui, selon le Père Feijóo, «seulement voit les étoiles quand elles sont à la verticale» et nous arrivons à Sarria. Sur le frontispice nord de l'église du St. Sauveur, nous pouvons voir un tympan représentant le Christ, de conception grossière. Nous longeons le château, nous admirons l'Hôpital de Madeleine bâti au xiiième siècle, et nous descendons la côte raide pour nous diriger vers:

Barbadelo

Au milieu des prés et des champs de maïs, le granit galicien de St. Jacques de Barbadelo fleurit en boutons d'une beauté romane au bord du Chemin de St. Jacques; c'est une église importante par son abondante décoration et par l'étrange symbolisme des figures et animaux.

Par les pâturages où paissent les chevaux, le Chemin descend vers le Miño et laisse de côté l'emplacement du célèbre Monastère de Ste. Marie de Loyo, Maison-Mère primitive de l'ordre de St. Jacques. Nous apercevons au loin:

Portomarín

Ce n'était qu'un pont et une maison-hôpital, mais prit de l'importance de par sa situation stratégique sur la route de Compostelle. La retenue d'eau de Belesar submergea l'ancienne ville sous les eaux du Miño. C'est là que Pedro Peregrino reconstruisit en 1120 «Puente Miña». Parfois, quand les eaux vaissent, on peut apercevoir sur la rive du Miño les restes squelettiques de l'ancien village; et, au milieu de la rivière, une saillie de pierre, unique vestige du fameux pont des pèlerins qui regarde au loin, sur une colline, la nouvelle ville blanche dans laquelle nous reconnaissons les vieux voisins d'autrefois.

L'église du prieuré des Chevaliers de St. Jean, l'un des anciens habitants de «Puente Miña», dresse sa figure élégante et solide au-dessus du village. Construite pierre à pierre, cette église-forteresse surprend par son excellente architecture romane. D'une seule grande nef, elle a une abside semi-circulaire. Elle offre trois jolis frontispices; sur les crêtes crénelées de la partie supérieure de la façade, séparée du bas par una élégante imposte de modillons, une magnifique rosace absorbe la lumière du couchant et supprime l'obscurité de ce temple roman. Sur l'archivolte intérieure du fron-

Portomarín. Église des Chevaliers de Saint-Jean de Jérusalem (12e siècle).

tispice principal, se trouvent, en forme de rayons, les 24 anciens de l'Apocalypse, jouant de leurs instruments dans le cadre approprié de cette nouvelle et accueillante place de Portomarín. La décoration de cette église et de celle de St. Jacques, dans la même ville, ressemble énormément à celle du Portique de la Glorie et l'on est presque sûr que ce sont des oeuvres du même Maître Mateo.

Lameiros et Ligonde

La Croix de Lameiros, petit village situé sur le Chemin, contemple la marche essoufflée de milliers de pèlerins:

«Où ira mon pèlerin,
mon pèlerin où ira-t-il?
Chemin de Compostelle,
je ne sais s'il arrivera...»

Tirant des forces de sa faiblesse et le regard fixé sur les Croix, telle celle de Lameiros, le pèlerin s'exclamait par les mêmes vers:

«Maintenant je n'ai plus de forces...
mon esprit m'en donnera...»

Près de Lameiros, sans autre accès que le vieux Chemin, St. Jacques de Ligonde possède un souvenir émouvant du pèlerinage: un simple cimetière de pèlerins, clos par un mur de solide maçonnerie sur lequel se détache une croix de granit située au bord du Chemin. Le Pèlerin! il est le symbole de ce désir ardent qui bouillonne au plus profond de toute grande âme et que Léon Felipe réussit à exprimer de la façon suivante:

«Etre dans la vie
un pèlerin,
un pèlerin solitaire qui traverse
toujours de nouveaux chemins...
Etre dans la vie
un pèlerin,
sans autre métier, sans autre nom
et sans village...;
Etre dans la vie un pèlerin...,
un pèlerin...,
seulement
un pèlerin...»

Monastère de Vilar de Donas. Façade romane de l'église.

Monastère de Vilar de Donas. Détail des peintures murales.

Vilar de Donas

Avant d'atteindre Palas de Rey nous trouvons près de la route, sur notre droite, la Maison du Chapitre des Chevaliers de St. Jacques, qui se consacraient à protéger les pèlerins: Vilar de Donas. C'était le monastère où l'on enterrait les Chevaliers de Galice qui mouraient en combattant les Maures. Il ne reste que l'église à l'intérieur de laquelle nous pouvons admirer un beau retable de granit et une scène qui pourrait bien représenter le miracle eucharistique de El Cebrero.

Les très belles peintures qui couvrent toute l'abside sont du début du $xv^{ème}$ ou peut-être du $xiv^{ème}$ siècle. Selon Chamaso Lamas et Pons Sorrolla, ces peintures sont l'exemple pictural le plus important découvert jusqu'à présent en Galice. Véritable merveille que la scène de l'Annonciation! Les «Donas» ou Dueñas y sont représentées avec de grandes coiffes aux plis très fins. Le peuple identifie l'une d'elles come étant «Doña Vela» à cause de l'inscription quelque peu confuse: «Dieu veille sur moi». Donas aux visages pénétrants et aux doux sourires. «Jocondes de Galice —dit Cunqueiro— qui sourient de façon mystérieuse et abstraite...»

Palas de Rey

Palas de Rey, dernière étape du Codex Calixtinus, ancien «Palatium Regis», est aujourd'hui une ville moderne à l'esprit de St. Jacques que nous connaissons bien. Une très simple façade romane orne l'église St. Tirso.

Après avoir passé St. Julián del Camino, sur notre droite émerge à l'horizon la célèbre forteresse de Pambre, touche de noblesse parmi les monts et les champs. C'est une des plus belles de Galice. La tour de l'Hommage, solide regret médiéval envahi par le lierre, mèle ses strophes romantiques à la mélodie plaintive de la rivière Pambre, jongleur aquatique qui chante à ses pieds

Mellid

Au milieu d'une région riche en vestiges archéologiques d'époques anciennes et aux portes de la province de la Corogne, se trouve Mellid, importante ville aux temps des pèlerinages et carrefour des chemins de St. Jacques. A l'entrée, l'église romane de St. Pierre nous salue avec son transept du $xiv^{ème}$ siècle; et à un kilomètre du village, l'église Ste. Marie, du $xii^{ème}$ siècle, nous dit adieu; elle ne comporte qu'une seule nef et une belle abside percée d'une fenêtre surbaissée; nous pouvons y admirer des peintures murales de $xv^{ème}$ siècle.

Lavacolla

Depuis Mellid, chemin et route ne font pratiquement plus qu'un. Nous traversons Arzua avec son église dédiée à St. Jacques, et nous arrivons à Lavacolla, près de l'aéroport de Compostelle. Ici comme dans d'autres endroits du Chemin, les logeurs de St. Jacques viennent offrir leurs services, se faisant une concurrence acharnée; ils se jouent des pèlerins en leur faisant des propositions frauduleuses pour les auberges.

Aimerico Picaud nous dit: «A Lavacolla, les pèlerins ne se lavent pas seulement le visage, mais par amour pour l'Apôtre ils se lavent tout le corps, après s'être dépouillés de leurs vêtements.» Le Monte del Gozo se dresse devant nous...

Monte del Gozo

Monte del Gozo! Monxoi! Depuis Lavacolla il s'organisait une véritable course pour savoir qui parviendrait le premier au sommet du mont et contemplerait les tours de la Cathédrale de St. Jacques. Lorsque l'on était victorieux on portait le nom de «Roi» de la caravanne et jouissait de privilèges annexes et d'exemptions. Leroy, Roy et Rey sont des noms qui existent encore, ce titre ayant été remporté par de nombreux français et espagnols. En arrivant au sommet du Monte del Gozo, les pèlerins contemplaient pour la première fois les tours de la ville de l'Apôtre. De là, Compostelle apparaît à nos pieds —pour reprendre la phrase d'Eugenio Montes— «comme une coquille dans la pèlerine du paysage galicien.»

Après avoir parcouru des centaines de kilomètres, éprouvé de grandes fatigues, après tant de sueurs et de découragement, le pèlerin atteignait ici les cimes les plus hautes de son émotion et de sa ferveur. Laffi qui a fait trois fois le pèlerinage à Compostelle nous dit: «En parvenant au sommet de la montagne appelée Monte del Gozo, d'où nous découvrions St. Jacques que nous avions tant désiré et tant appelé, nous nous mîmes à genoux pour nous prosterner et notre joie fut si grande que nos larmes coulèrent de nos yeux; puis nous commençâmes à chanter le Te Deum... Mais nous ne pûmes pas continuer faute de pouvoir retenir nos sanglots.» Ceux qui faisaient le pèlerinage à cheval, poursuivaient leur route à pied; beaucoup le faisaient nu-pieds, innondant le Chemin de leurs larmes... Les croix rustiques qui indiquent le sommet du Monte del Gozo, non loin de l'ermitage de St. Marc, sont sans aucun doute la floraison spirituelle de cette jouissance entrecoupée de sanglots, fruit d'une marche courageuse...

Lavacolla. Croix du chemin et début de la montée au Monte de Gozo. ▶

*Château de Pambre, ancienne maison seigneuriale des Ulloa, immorta-
lisé pour la littérature par López Ferreiro.*

*Eiroa, l'une des Croix du chemin les plus impressionnantes de la
Galice.* ▸

SAINT JACQUES DE COMPOSTELLE

C'est ainsi qu'arrivait le pèlerin à Compostelle. Le Codex Calixtinus nous dit: «Compostelle, la ville de l'Apôtre par excellence, possède toute sorte de charmes et garde sous sa surveillance la précieuse dépouille mortelle de St. Jacques; c'est pourquoi on la considère de bon droit en Espagne comme la plus heureuse et éminente ville de ce pays.»

Elle renaquit et reprit de l'importance au début du IXème siècle avec la renommée grandissante du Sépulcre de l'Apôtre; elle devint ainsi une des principales villes de la chrétienté. Ville à la fois médiévale et moderne, elle fut fondée sur un tombeau, qui est en même temps source de vie spirituelle et de ferveur. Tous les styles, depuis le roman le plus pur jusqu'au baroque le plus exubérant, rendent hommage à l'Apôtre. Depuis le Paseo de la Herradura, qui entoure un ancien campement, on peut contempler la cathédrale, véritable paysage de granit fleuit, où l'on distingue les tours de l'Obradoiro, triomphe sublime du baroque galicien, gardes symboliques hauts de 70 mètres, joie ascensionnelle de la matière jaillie de la foi…

Dans un très ancien cimetière du Ier au VIème siècle, Alphonse II le Chaste fit construire une église sur le mausolée du Fils du Tonnerre. A la suite de reconstructions successives, on commença en 1075 l'actuelle église romane. C'est au XIIème siècle que le Maître Mateo substitua une des façades par l'actuel Portique de la Gloire. Au XVIIIème siècle, Casas y Novoa éleva les tours de l'Obradoiro. Depuis les tours de Compostelle, le son oecuménique de ses cloches traverse l'air des siècles et unit dans son carillonnement plural, l'histoire, la traditioneet la ferveur d'aujourd'hui renouvelée.

Le navire de pierre de la Cathédrale de Compostelle navigue avec sûreté sur la mer agitée des siècles, captant avec les antennes baroques de ses tours les ondes divines qui orientent notre navigation risquée: au poste de commande il y aura toujours St. Jacques Apôtre, «Patron Sage» du poète médiéval.

Quatre places, chacune avec une personnalité propre, entourent la cathédrale et forment un ensemble avec ses quatre façades. Celle des *Platerías*, escortée par la Tour de l'Horloge, par l'éfidice platéresque qui ferme le cloître au rez-de-chaussée duquel les orfèvres habitent, et sur le côté sud par la Maison du Chapître, de style baroque. *La Quintana*, dont l'enceinte grandiose est surplombée par les absides de la cathédrale et le mur solennel de San Payo, percé de 48 fenêtres grillagées; elles contemplent certainement la foule de pèlerins qui franchissent la Porte Sainte ou du Pardon, qui au cours d'une cérémonie solennelle, plus ancienne que celle qui est célébrée à St. Pierre de Rome, est ouverte chaque année Sainte, tel un portillon du ciel pour le pardon de la terre… *La Azavachería*,

Compostelle. «Cruz dos Farrapos», sur le toit, près de la lenterne de la cathédrale.

face à St. Martín Pinario escortée du Palais Episcopal. C'est ici qu'eut lieu le «paraiso», centre commercial où l'on vendait au Moyen-Age, outre les objets en jais, toutes sortes de choses: coquilles, herbes médicinales, chaussures, outres à vin, escarcelles, etc... Et finalement *la place de l'Obradoiro*, qui dresse vers le ciel les deux mâts que sont ses tours, en face de la façade néoclassique du Palais de Rajoy, qui est l'actuelle Mairie. A côté se trouve l'Hôpital des Rois Catholiques, fondé par Ferdinand et Isabelle au XVIème siècle et construit d'après les plans d'Henri de Egas. Ce fut pendant des siècles de Grand Hôpital Royal, important centre de bienfaisance qui accueillait gratuitement tout pèlerin sur présation du certificat requis. Aujourd'hui il est devenu un Hôtel de Tourisme de grand luxe. En face, il y a le Collège de St. Jérôme à la curieuse façade du XVème siècle de structure romane. Ces trois édifices, avec la façade de l'Obradoiro, délimitent cette place, une des places éternelles dans le monde entier.

Nous pénétrons dans la cathédrale, les yeux accoutumés à la contemplation du grandiose et l'esprit en éveil pour le sublime.

Portique de la Gloire

Un grand frémissement nous secoue au plus profond de notre-être..., un ravissement d'émotion agite notre âme... en contemplant ce prodige de pierre humanisée qui abrite et exhibe d'incroyables battements de vie: LE PORTIQUE DE LA GLOIRE, GLOIRE DE TOUS LES PORTIQUES.

L'art roman a été capable d'enseigner en étonnant, exemple d'esthétique et de pédagogie. Cette oeuvre maîtresse stupéfie par l'ordre d'idées clair et précis créé de façon artistique dans la distribution des trois arcs: Une unité logique, d'une rigueur scolastique, véritable «Somme théologique» de pierre, préside, distribue et enchaîne tous ses éléments qui composent à la fois un drame divin et un chant apocalyptique, signe et expression de quelque chose qui va au-delà de la matière et de l'art. Unamuno s'exclame: «Devant ce Portique il faut prier d'une façon ou d'une autre, il ne convient pas de faire de la littérature».

La façade, de début du XIIème siècle, fut substituée par le portique actuel qui date environ de 1188. C'est un narthex ou vestibule encastré entre les deux tours romanes. Architecture et sculpture se fondent merveilleusement avec une précision prodigieuse. Plus de 200 statues, sans compter celles des chapiteaux ni des colonnes éloquentes, vivent, conversent ou chantent dans ce triptyque théologique. Il comprend trois arcs, correspondant aux trois nefs, qui

s'appuient sur des piliers décorés. C'est le sommet de l'art du pèlerinage.

Le tympan.—Le thème central est une grande exposition de la gloire de Dieu reposant sur l'Apocalypse. La gloire céleste est représentée sur le splendide tympan, aux proportions extraordinaires. En forme de couronne, on peut voir le Sénat du Christ, les 24 anciens de l'Apocalypse. Assis en rond deux par deux ils dialoguent tout en préparant et accordant leurs instruments de musique: cithares, harpes, psaltérions, violes... et dans la clef de voûte, à l'endroit privilégié, la vielle, instrument traditionnel des jongleurs galiciens et que Fausto Santalices décrit comme:

> «Cinq cordes qui chantent,
> qui soupirent, rient ou pleurent;
> sont l'âme de la Galice,
> mélancolique et rêveuse...»

Autour du Sauveur, au visage digne et serein, qui préside la scène, tout est prêt pour ce divin et éternel concert qui va commencer... «Digne est l'Agneau de recevoir tout honneur et toute gloire...»

Colonne de Jésé.—La colonne centrale qui soutient le tympan est une oeuvre prodigieuse sculptée dans le marbre. Sur le fût il y a un résumé de la généalogie du Christ: de Jésé, appuyé sur la partie inférieure de la colonne, montent les branches de l'arbre à travers David qui joue de la harpe et Salomón qui empoigne le sceptre. Tout en haut, libre de ramage, symbolisant l'Immaculée, la Vierge Marie... La naissance de Jésus, les tentations —commencement de sa vie publique—, et la Trinité —généalogie divine de Dieu-Homme—, complètent sur chaque chapiteau ce résumé de la vie du Christ.

Arc de gauche.—Tout l'Ancien Testament est la préparation de la venue du Christ et de sa glorification. Sur l'arc gauche on voit le peuple juif de l'Ancien Testament, dont l'idée maîtresse est la promesse messianique. Sur la clef de l'archivolte inférieure Adam et Eve voient au milieu le Sauveur promis —début de la rédemption— comme le virent de façon prophétique les Patriarches qui apparaissent ici. Le tore, symbole de l'esclavage, emprisonne les dix tribus d'Israël qui connurent la captivité. Entre cet arc et l'arc central, les hommes qui ont observé la Loi sont conduits, sous la forme d'enfants, vers la Gloire de Dieu.

Arc de droite.—Si l'arc de gauche est l'Alpha, le commencement de la rédemption, celui de droite est l'Oméga, la fin: Le Jugement Dernier. Au milieu apparaissent le Christ Juge et St. Michel, rival de Satan dans la lutte du bien et du mal. Sur la partie gauche de ces archivoltes, à droite du Christ, les bienheureux sont représentés sous forme d'enfants, protégés par les anges. A gauche du Juge

Suprême, les condamnés, l'enfer : des démons ébouriffés aux pieds de boeuf ou de cheval engloutissent et tenaillent les réprouvés, esclaves des vices. C'est une composition pleine de vigueur dramatique —l'enfer de Dante en lave granitique qui abonde— que Rosalía de Castro contemple :

> «mi-étonnée…, mi-apeurée…!
> ils me paraissent tous
> un délire de spectres mortels…!»

Il y a aussi le détail anecdotique et régional de celui qui, avec une gourmandise non dissimulée, engloutit le pâté en croûte galicien et presse l'outre de vin, peut-être du Ribeiro, qui au XIIeme siècle avait une renommée justifiée, ou de Amandi que dégustait Alphonse X le Sage…

Apôtres et Prophètes.—Revenons à l'arc central. Tout le poids de la «Ville Céleste», de la Gloire de Dieu, repose sur deux séries de douze colonnes dont les fûts sont ornés de Prophètes et de personnages de l'Ancien et du Nouveau Testament : Moïse, grave, solennel, supportant le poids des Tables de la Loi ; Isaïe, au visage sévère ; Daniel, au sourire frippon, et Jérémie, pensif et souffrant : figures de la Bible avec des prophéties au bout des lèvres. En face, Pierre avec ses clefs ; Paul presque chauve ; St. Jacques avec son bourdon en forme de «Tau» au visage identique à celui du meneau ; Jean, jovial et imberbe.

Dans ce Portique, tout est réalisme et perfection : Apôtres dans l'attente ; Prophètes grivois ; regard honteux d'Esther ; grâce et enchantement féminin de Judith ; murmure continu de conversations et invitation très expressive au silence… Les plis des manteaux ne sont pas de pierre, mais de tissu ; les visages ne sont pas des portraits mais des personnes vivantes qui sourient, discutent et dialoguent : un monde passionnément humain bouillonne et palpite dans ce Portique, unité merveilleuse et individualité iconographique stupéfiante.

Il est impossible de décrire ce torrent de vie qui coule dans les veines du granit qui devient ainsi chair vivante et palpitante, créant cette atmosphère si humaine et si divine. Empli de doute, on palpe le granit au toucher froid, et on doute encore…:

> «Saints et apôtres, regardez-vous! on dirait
> que vos lèvres remuent, que vous parlez bas
> les uns avec les autres…
> Sont-ils vivants? sont-ils de pierre,
> ces visages si vrais,
> ces tuniques merveilleuses,
> ces yeux pleins de vie?» (Rosalía de Castro).

Détail de
la richesse
sculpturale
du
Portique
de la
Gloire.

Portique ▶
de la
Gloire:
cinq doigts
—cinq
chemins de
la foi—
sur le
marbre,
attendri
par la
ferveur de
millions de
pélerins.

Petit retable d'albâtre polychromé, montrant des scènes de la vie de Saint-Jacques, don de l'Anglais J. Gudgar, en 1456. Chapelle des reliques de la Cathédrale de Compostelle.

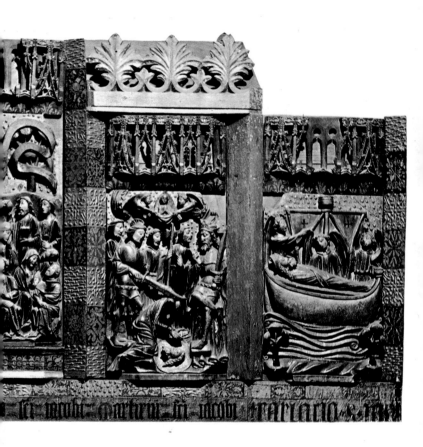

sci iacobi martirii sci iacobi translacio sci iacobi

Sant-Yago.—Et au milieu de toute cette vision, de ce chapitre de Théologie, que le pèlerin étonné apprenait, la figure bienveillante du Patron, du Maître du sanctuaire de Compostelle: SANT-YAGO: l'image très noble siègeant dans une attitude douce et seigneuriale qui semble recevoir et souhaiter la bienvenue à ses fidèles. Il est couronné d'un nimbe en cuivre doré, pieds nus, portant dans la main gauche «le bourdon de ses pèlerinages», en forme de «Tau» et dans la main droite un long phylactère, reproduisant cette inscription biblique expressive: «Le Seigneur m'a envoyé».

Saint «dos croques».—Agenouillé derrière le meneau, tourné vers le maître-autel et vers le tombeau de l'Apôtre, en un geste contrit, l'auteur de ce prodige: le Maître Mateo. La statue, véritable auto-portrait, nous le représente relativement jeune, imberbe, les cheveux en tire-bouchon et le visage plein. Les gens l'appellent le «santo dos croques», le saint des coups, car il est de tradition de frapper sa tête contre celle de la statue pour que l'auteur de cette merveille romane communique à ses admirateurs un peu de sa science.

Cinq marques sur le marbre.—Sur la colonne du meneau la dévotion de millions de pèlerins a réussi à adoucir le marbre dur: il est de tradition d'y placer les cinq doigts de la main droite et de demander une grâce spéciale: St. Jacques la concède à celui qui l'implore avec ferveur. Cinq traces sur le marbre, symbole d'une foi commune chez des pelerins de divers pays.

Interieur de la Cathédrale

Etreinte de l'Apôtre.—Une fois passé le Portique de la Gloire, nous sommes éblouis par la beauté de l'intérieur de la cathédrale, la plus belle oeuvre romane, modèle des églises du pèlerinage.

Au fond, se dresse le maître-autel avec un baldaquin à la décoration baroque, profuse et fastueuse. La niche abrite l'image siègeante de l'Apôtre, en pierre, oeuvre de l'atelier du maître Mateo, bien qu'elle ait été repeinte et modifiée ultérieurement. St. Jacques apparaît comme «Sumo peregrino» avec pèlerine, bourdon et gourde. L'index de sa main droite et l'inscription du phylactère indiquent le lieu de son tombeau. Depuis très longtemps, cette statue, au geste et au regard accueillants, reçoit l'étreinte des pèlerins au terme de leur route.

La crypte.—Dans la cavité intérieure du maître-autel se trouve la partie inférieure du mausolée roman du Ier ou IIème siècle, où fur enterré l'Apôtre St. Jacques. L'oratoire de cette crypte est recouvert de marbres. Sur l'autel, l'Urne d'argent avec les Saintes Reliques. C'est le «Sancta Sanctorum» de Compostelle, dont la force que donne la foi fut capable de remuer, non des montagnes,

Cathédrale. Maître-autel avec la statue de Saint Jacques, le «Patron Sabido» du poète médiéval.

mais la Chrétienté tout entière. Sous la Cathédrale on peut visiter une partie des fouilles archéologiques dont nous avons déjà parlé.

Botafumeiro.—Avant de sortir de la basilique dont il nous est impossible d'émumèrer ici la richesse et la variété, nous admirons le roi des encensoirs, le «Botafumeiro». On s'en sert aun moins depuis le XIVeme siècle; l'encensoir actuel (80 Kgs.) date de 1850: il remplace celui que volèrent les français durant la guerre d'indépendance. Pendu à un cable sous la coupole du transept, il est animé d'un mouvement pendulaire qui augmente avec l'impulsion que lui transmettent des hommes empoignant l'autre bout de la corde, le Botafumeiro vole à travers le transept en décrivant un arc de 50 mètres. Les hiéroglyphes blancs de ses volutes —soupirs d'encens— montent jusqu'aux voûtes, encensant les Saintes Reliques et parfumant la basilique, éclaircie par le passage de la foule en sueur, tandis que la procession marche au rythme de la musique des larigots.

Itinéraire du pèlerin à travers St. Jacques de Compostelle

Les pèlerins qui arrivaient à St. Jacques par le Monte del Gozo, traversaient la Rúa de S. Pedro de Afora; la partie haute de cette rue s'appelle encore «Os concheiros» et évoque les marchands qui vendaient ces insignes aux pèlerins. Puis ils arrivaient à la «Puerta Francigena» ou Porte du Chemin, près de laquelle se trouve actuellement la Croix de Bonaval ou «do home santo». Une fois passée cette porte, ils continuaient par la Vía Francigena dont le tracé approximatif est l'actuelle rue de Casas Reales et arrivaient à la Place de Cervantes. De là ils atteignaient par la Rúa de los Azabacheros la porte nord de la Basilique.

Durant les Années Saintes le flot des pèlerins tournait à gauche dans la rue des Azabacheros et débouchaient par la Vía Sacra sur la Place de la Quintana, en face de la Porte Sainte.

Une fois franchie la porte nord ou Porte Sainte, ils pénétraient dans la Cathédrale, toujours remplie de pèlerins et offrant, selon le Guide du XIIeme siècle, un spectacle merveilleux et parfois pittoresque. Adorer les reliques de l'Apôtre et étreindre sa statue étaient les deux premières choses qu'il fallait faire. Certains voulaient veiller de nuit autour du tombeau de St. Jacques, le plus près possible. Ensuite ils déambulaient dans la Basilique, regardant et admirant ses richesses et son art. Ils allaient ensuite chercher la «Compostela» ou certificat qui accréditait devant leurs compatriotes et dans les établissements hospitaliers leur pèlerinage.

Beaucoup de pèlerins pauvres recevaient des vêtements neufs et brûlaient les vieux dans une grande vasque couronnée d'une

croix, «la Cruz dos Farrapos», La Croix des haillons. Cette croix et cette vasque existent encore sur le toit de la cathédrale, sur la partie principale.

Après avoir visité la cathédrale, les pèlerins se répandaient dans la ville à la recherche d'un logement gratuit dans les monastères et hôpitaux qui abondaient à St. Jacques. Mais comme l'affluence était toujours extraordinaire, surtout durant les Années Saintes, beaucoup devaient se loger dans des hôtelleries payantes qu'il y avait également en grand nombre. Au cours des quelques jours qu'ils restaient à Compostelle, avant de rentrer chez eux, ils admiraient la ville merveilleuse.

PADRON

Autrefois on complétait le pèlerinage en visitant Padrón, aux nombreux souvenirs de St. Jacques, et le Finisterre, empreint de mystères mythologiques. Padrón est le village-clef des pèlerinages. Il se dresse sur l'emplacement de l'Iria Flavia romaine où les disciples de St. Jacques amenèrent les reliques de l'Apôtre. Le port d'Iris, à l'embouchure du Arosa, fut un empire de richesse, comme nous l'écrit Idrisi dans sa «Description de l'Espagne», du XIIeme siècle. Aujourd'hui, les alluvions de la rivière Ulla ont comblé ses sorties vers la mer. Nous sommes accueillis à Iria par la collègiale Ste. Marie. Une représentation bizantine de la Vierge que l'on dirait être en quartz préside le maître-autel; agenouillé à ses pieds, l'Apôtre St. Jacques. Selon la tradition, c'est ici que l'on construisit la première église dédiée à la Mère de Dieu.

Le «Santiaguiño» jouit de la préférence du peuple. Ambrosio de Morales dit que St. Jacques dont les accents résonnèrent dans le Finisterre, «se retirait dans une église que l'on peut voir encore sur les hauteurs de Padrón et que les gens signalent comme étant l'ermitage où priait l'Apôtre. Un peu plus haut, sur un sommet élevé, où il y a beaucoup de roches et dont certaines sont fendues ou pleines de trous, on raconte que l'Apôtre, désirant se cacher des païens qui allaient à sa poursuite, fendit de son bâton la roche et par ce geste miraculeux arrêta les méchants.» Cet endroit, avec l'ermitage et la représentation de l'Apôtre parmi les roches, existe tel que nous le décrit Ambrosio de Morales et est celui qui reçoit le doux nom de «Santiaguiño».

Dans l'église paroissiale, sous le maître-autel, on peut voir un bloc de pierre —«pedrón»— très certainement une are romaine où, selon la légende, fut amarrée la barque qui transportait les restes de l'Apôtre. Près de la paroisse une immense source rapelle à chaque goutte les souvenirs de St. Jacques: selon la fantaisie populaire, l'Apôtre fit jaillir ses eaux pour convaincre son auditoire récalcitrant.

FINISTERRE

Dans la partie la plus à l'ouest de la terre jusqu'alors connue, limite géographique de l'ancien monde, frontière entre la reálité et la légende, le profil du cap Finisterre nous laisse perplexe. C'est un des grands mythes de l'antiquité, symbole de la vie et de la mort: le soleil —source de vie— meurt chaque soir dans la mer du Finisterre, comme il le faisait déjà il y a des siècles devant le regard étonné des légions romaines de Brutus «emplies de crainte religieuse»;

L'église de Santa María. Padron, au bord de la rivière Sar, dont les eaux évoquent le nom impérissable de Rosalía de Castro.

mais il renaît chaque matin, déchirant la nuit froide de ses chauds rayons de sa résurrection lumineuse. C'est ici face à la mer ténébreuse qu'il y eut une des trois «Ara solis», sur laquelle on offrait le dernier sacrifice au soleil couchant.

«Ara soli», rites de la fécondation et passage mystèrieux de baleines mythologiques ont cédé leur place à Ste. Marie du Finisterre, au Christ «à la barbe dorée», à la cérémonie tendue du «Desenclavo» les vendredis Saints et à l'ancienne et dramatique «Danza de los palillos» le Dimanche de la Résurrection. C'est jusqu'ici qu'arrivèrent les formules de régénération chrétienne prêchées par St. Jacques. Beaucoup de pèlerins terminaient leur pèlerinage par le Finisterre, en suivant la chaussée romaine par Puente Olveira, Cée y Corcubión.

Saint-Jacques de Compostelle. L'Obradoïro la nuit: prolongement vertical du Chemin, qui va s'unir à la route soeur: la Voie Lactée des étoiles.

Epilogue

NOCTURNE SUR L'OBRADOIRO

«S'il y a des étoiles, la pierre vole aussi.
Sur la nuit biseautée et froide,
grandissez, lis jumeaux de hardiesse,
grandissez, croissez tours de Compostelle.»

Beau contre-point poétique de Gerardo Diego sur cette image splendide de l'Obradoiro, symbole et but de notre pèlerinage.

Selon don Ramón del Valle Inclán, à Compostelle «les âmes ont encore les yeux attentifs au miracle...»

Dans la mer de la vie les vagues des siècles lointains ont poussé, peu à peu, avec force et opiniâtreté, jusqu'au bout du monde, cette coquille de Compostelle, enrichie par la foi, polie par la culture et ornée par l'art de l'Europe entière.

Les tours de l'Obradoiro sont deux sentiers de lumière qui percent le velours de la nuit de Compostelle et vont s'unir à leur autre route soeur, la galaxie resplendissante de la Voie Lactée, qui traduit en langage sidéral ce Chemin que nous avons parcouru et dont le nom sera éternel:

LE CHEMIN DE ST. JACQUES

INFORMACIÓN PRÁCTICA EL CAMINO DE SAN-
TIAGO
*INFORMATION PRATIQUE LE CHEMIN DE SAINT-
JACQUES*
PRACTICAL INFORMATION THE WAY TO SAN-
TIAGO
*PRAKTISCHE HINWEISE DER PILGERWEG NACH
SANTIAGO*

ALOJAMIENTOS
LOGEMENTS
ACCOMODATION
UNTERKÜNFTE

HOTELES
HOTELS
HOTELS
HOTELS

Canfranc

ARA. Fernando el Católico, 1. H*
VILLA ANAYET. José Antonio, 8. H*
INTERNACIONAL. Renfe. H**

Jaca

GRAN HOTEL. Paseo del General Franco, 1. HR***
CONDE DE AZNAR, General Franco. H**
LA PAZ. Mayor, 41. H**
PRADAS. Obispo, 12. HR**
MUR. Santa Orosia, 1. H*
ABETO, EL. Bellido, 15. HR**

Roncesvalles

CASA SABINA. Ctra. Pamplona Francia, km 48. H*

Pamplona

LOS TRES REYES. Jardines de la Taconera, s/n. H*****
CIUDAD DE PAMPLONA. Iturrama, 21. HR***
NUEVO HOTEL MAISONAVE. Nueva, 20. H***
ORHI. Leyre, 7. HR**
ESLAVA. Plaza Virgen de la O, 7. HR**
YOLDI. Avda. San Ignacio, 11. H**
LA PERLA. Plaza del Castillo, 1. HR*
VALERIO. Avda. de Zaragoza, 5. H**

Sangüesa

YAMAGUCHI. Carretera de Javier. H**

Puente la Reina

MESÓN EL PEREGRINO. Ctra. Pamplona-Logroño, km 23. H**

Estella

TATÁN. San Francisco de Asís, 3. HR*
SAN ANDRÉS. José Antonio, 1. HR*

Logroño

CARLTON RIOJA. Gran Vía, 5. HR****
GRAN HOTEL. General Vara de Rey, 5. H***
MURRIETA. Marqués de Murrieta, 1. H***
EL CORTIJO. Ctra. del Cortijo, km 2. H**
ISASA. Doctores Castroviejo, 13. HR*

TRES MARQUESES, LOS. Ctra. Zaragoza, km 8. H*
LA NUMANTINA. Sagasta, 4. HR***
LAS ÁNIMAS. Marqués de Vallejo, 8. H**
PARÍS. José Antonio, 4. H**

Nájera

SAN FERNANDO. Paseo A. Martín Gamero, 1. H**

Santo Domingo de la Calzada

PARADOR NACIONAL. Plaza del Santo, 3. H***
SANTA TERESITA. General Mola, 2. H*
RÍO. Etchegoyen, 2. HR*

Burgos

LANDA PALACE. Ctra. Madrid-Irún, km 236. H***
ALMIRANTE BONIFAZ. Vitoria, 22 y 24. H****
CONDESTABLE. Vitoria, 8. H****
CORONA DE CASTILLA. Madrid, 20. H***
FERNÁN GONZÁLEZ. Calera, 17. H***
ESPAÑA. Paseo del Espolón, 32. H**
NORTE Y LONDRES. Plaza Alonso Martínez, 10. HR**
ASUBIO. Carmen, s/n. HR***
RICE. Avda. Reyes Católicos, F-4. HR***
AUTO ESTACIONES. Miranda, 4. HR**
ÁVILA. Almirante Bonifaz, 13. H**
BURGALÉS. San Agustín, 7. H**
CARLOS V. Plaza de Vega, 36. H**
CORDÓN. Cordón, 4. H**
LA FLORA. Huerto del Rey, 18. HR**
HERMANOS ALONSO. Llana de Afuera, 5. HR**
HILTON. Vitoria, 165. H**
JUARREÑO. Santa Clara, 29. HR**
LAR. Cardenal Benlloch, 1. HR**
MANJÓN. Conde Jordana, 1. H**
MARTHA. General Mola, 18. H**
MODERNO. Queipo de Llano, 2. H**
NIZA. General Mola, 12. HR**
ORTEGA. Madrid, 1. H**
RODRIGO. Avda. del Cid, 42. HR**
SOLAS. Vitoria, 184. H**
TESORERA, LA. Vitoria, 79. HR**
VILLA JOSEFA. Paseo de Los Pisones, 47. HR**

Frómista

SAN TELMO. Martín Viña, 8. HR*

Carrión de los Condes

FONDA CASTILLA.
FONDA SÁEZ.
FONDA TRES HERMANOS.

León

SAN MARCOS. Plaza de San Marcos, 7. H*****
CONDE LUNA. Independencia, 5. HR****
OLIDEN. Plaza de Santo Domingo, 1. HR**

QUINDÓS. Avda. José Antonio, 24. HR**
RIOSOL. Avda. Palencia, 3. H**
CARMINA. Independencia, 29. H*
PARÍS. Generalísimo, 20. H*
REINA. Puerta de la Reina, 2. HR*
DON SUERO. Suero de Quiñones, 15. HR**
OCERÍN. Fuero, 2. HR**
OREJAS. Villafranca, 8. H**
REINO DE LEÓN. Martín Sarmiento, 10. HR**

Hospital de Órbigo

PASO HONROSO. Ctra. León-Astorga, km 33.
  HR**
AVENIDA. José Antonio, 31. HR*

Astorga

CADENAS, LAS. Pío Gullón, 8. H**
GALLEGO. Avda. Ponferrada, 28. HR**
SAN NARCISO. Ctra. Madrid-La Coruña,
  km. 325. HR**

Ponferrada

DEL TEMPLE. Avda. Portugal, 2. HR***
CONDE SILVA. Ctra. Madrid-La Coruña, 2.
  HR**
MADRID. Avda. José Antonio, 46. H**
LISBOA. Jardines, 5. H**
MARÁN. Antolín López Peláez, 29. HR**
SAN JORGE. Marcelo Macías, 4. H**

Villafranca del Bierzo

PARADOR NACIONAL. Avda. Calvo Sotelo, s/n.
  H***
COMERCIO. Puente Nuevo, 2. H*
CRUCE, EL. San Salvador, 37. H*
LA CHAROLA. Dr. Arén, 19. HR*
PONTERREY. Dr. Arén, 17. HR*

El Cebrero (Piedrafita)

SAN GIRALDO DE AURILLAC. HR**

Sarria

LONDRES. Calvo Soleto, s/n. H**

Portomarín

PARADOR NACIONAL. Portomarín. H**

Santiago de Compostela

LOS REYES CATOLICOS. Plaza de España, 1.
  H*****
COMPOSTELA. General Franco, 1. HR***
PEREGRINO. Avda. Rosalía de Castro, s/n.
  HR***
GELMÍREZ. General Franco, 92. HR**
LA PERLA. Avda. Figueroa, 10. HR*
UNIVERSAL. Plaza Galicia, s/n. HR*
CANTÁBRICO. Senra, 13. H**
ESPAÑA. Rúa Nueva, 40. H**

FORNOS. Hórreo, 7. HR**
GALICIA. Alférez Provisional, 3. HR**
MARÍA MEDIADORA. República El Salvador,
  16. HR**
MAYCAR. Dr. Teijeiro, 15. HR**
MÉXICO. República Argentina, 33. HR**
MIÑO. Montero Ríos, 10. HR**
LA PAZ. República El Salvador, 23. H**
RAPIDO, EL. Franco, 22. HR**
LA SENRA. General Mola, 13. HR**
SURIÑA. General Mola, 1. HR**
SUSO. Rúa del Villar, 65. HR**
TOURINO II. Rúa Nueva, 2. HR**
VIRGEN DE LA ROCA. Huérfanos, 34. H**

GASTRONOMÍA
GASTRONOMIE
GASTRONOMY
GASTRONOMIE

RESTAURANTES
RESTAURANTS
RESTAURANTS
RESTAURANTS

Canfranc

CHOCO-CHIKI. Estación, s/n.
UNIVERSO. General Franco, s/n.

Jaca

ARAGÓN. San Nicolás, 3.
CASA PACO. La Salud, 8.
CUBA, LA. Gil Berges, 8.
GALINDO. Mayor, 43.
HOSTAL DE OROEL. Mayor, 2.
JOSÉ. Avda. Domingo Miral, s/n.
LAURENTINO. Ramón y Cajal, 5.
MIGUEL. Zocotín, 11.
PALACIO DE CONGRESOS. Avda. Juan XXIII,
  17.
PRADAS. Obispo, 12.
SANZ. Plaza de San Pedro, 3.
SOMPORT. Avda. Primo de Rivera, 1.
UNIVERSAL. Campoy Irigoyen.
VIVAS. Gil Berges, 3.

Pamplona

HOSTAL DEL REY NOBLE. Saraseta, 6.
ALHAMBRA. Bergamín, 7.
AZKOYEN. Gayarre, 2.
CASTILLO DE JAVIER. Bajada de Javier, 2.
GRILL DON PABLO. Navas de Tolosa, 19.
IRUÑAZARRA. Mercaderes, 15.
JOSETXO. Estafeta, 73.
MAITENA. Plaza del Castillo, 12.
MESÓN DEL CABALLO BLANCO. Redin, s/n.
MEKONG. Travesía de Bayona, 3.

3

ORIO. Bajada de Javier, 13.
OR KONPON OSTATUA. Monasterio de la Oliva, s/n.
RODERO. Arrieta, 3.
SARASETE. García Castañón, 12.
SHANTI. Mártires de la Patria, 39.
VISTA BELLA. Jardines de la Taconería.
AMOSTEGUI. Pozoblanco, 20.
ASADOR IRACHE. Monasterio Irache, 23.
ASADOR OLAVERRI. Santa Marta, 4.
BASABURUA. Ansoleaga, 20. 2.°
BASERRI. San Nicolás, 32.
BIDASOA. García Ximénez, 3.
BOXKOX. Padre Barace, 3.
CASA FLORES. Estafeta, 85.
CASA MARCELIANO. Mercado, 7 y 9.
CASA MAULEÓN. Amaya, 4.
CASA OTANO. San Nicolás, 5.
EL ASADOR. Caldereria, 7.
EL MOSQUITO. Travesía San Alberto, 3.
ERBURU. San Lorenzo, 19.
ESPAÑA. Plaza de la Estación, 6.
HARTZA. Juan de Labrit, 29.
JUAN MARIA. Mercaderes, 18.
KOISHTA. Olite, 35.
LA BALLENA VERDE. Prol. Monasterio de la Oliva, 2.
LA MOSTAZA. Pintor Asenjo, 2.
LA TABERNA VASCA. San Agustín, 4.
LOS AMIGOS. Errotazar, s/n.
MENDI. Las Navas de Tolosa, 9.
MESÓN DE LA NAVARRERÍA. Navarrería, 15.
SAMURAY. Nicanor Beistegui, 8.
SAN FERMÍN. San Nicolás, 44 1.°
SAN NICOLÁS. San Nicolás, 19.
SIXTO. Estafeta, 81.
TOMÁS. Monasterio de Iranzu, 6.
TUDELA. Tudela, 9.
TXOKO BERRI. Erletoquieta, 6.
URDAX. Monasterio de Urdax, 45.
VENTA DE ANDRÉS. Aróstegui, 2.
YABEN. Pozoblanco, 24.
ZARAGOZA. Milagrosa, 60.
AUTOSERVICIO ESTAFETA. Estafeta, 57.
AUTOSERVICIO JARAUTA. Jarauta, 63.

Sangüesa

LAS NAVAS. Mediavilla, 7.

Puente la Reina

ASADOR EUNEA.
GARES.
LA CONRADA.

Estella

LA CEPA. Plaza de los Fueros, 15.
MIRACAIBO. Plaza de los Fueros, 22.
EL BORDÓN. San Andrés, 6.
ASADOR IRACHE. Complejo Irache (Ayegui).
ASADOR IZASKUN. Navarrería, 41.

IZARRA. Calderería, 19.
OBEKI. San Pol.
RICHAR. Yerri, 10.
TIXOKO. Navarrería, 8.

Logroño

LA MERCED. Marqués de San Nicolás, 136.
VILLA IREGUA. Avda. Madrid, s/n.
EL CHATO. Bretón de los Herreros, 8.
DOLAR. Marqués de Murrieta, 50.
VICTORIANO. Bretón de los Herreros, 8.
BILBAO. Marqués de San Nicolás, 62.
CACHETERO. Laurel, 3.
CARABANCHEL. San Agustín, 2.
CASABLANCA. Avda. España, 10.
CASA FERNANDO. San Agustín, 3.
CASA CECILIO. Peso, 5.
IRUÑA. Laurel, 8.
LA MATA. Vitoria, 26.
MATUTE. Laurel, 6.
MESÓN PEPA. Ctra. Zaragoza, km 3.
NIZA. Capitán Gallarza, 3.
LA OVEJA NEGRA. Avda. Pérez Galdós, 63.
EL RELICARIO. Marqués de San Nicolás, 69.
SAN REMO. Avda. España, 2.
TANGER. Avda. España, 6.
TIZONA. Avda. Colón, 53.
LA VIGA. Rodríguez Paterna, 6.
VILLA ISABEL. Norte, s/n.
ZESAR. Oviedo, 15.

Nájera

PALACIOS. General Mola, 7.
PERICA. Plaza Queipo de Llano, 1.
FUENTE ARENZANA. Cruz, 1.

Santo Domingo de la Calzada

LA EIBARRESA. Hermosilla, 19.
LA EIBARRESA. San Roque, 18.
EL RINCON DE EMILIO. Generalísimo, s/n.
PITONA. Beato Hermosilla, 29.
EL VASCO. General Franco, 15.

Burgos

LANDA. Crta. Madrid-Irún, km 236.
PINEDO. Espolón, 1.
CASA OJEDA. Vitoria, 3.
PUERTA REAL. Casa del Rey San Fernando.
LOS CHAPITELES. General Santocildes, 7.
ARRIAGA. Laín Calvo, 4.
BOFIN. Cadena y Eleta, 1.
ESTACION DE AUTOBUSES. Miranda, 4.
GAONA. Paloma, 41.
GARRILLETI. San Lesmes, 2.
LA MORENA. Merced, 3.
MESÓN DE LOS INFANTES. Corralón de los infantes.
RICARDO. San Lesmes, 1.

RINCON DE ESPAÑA. Conde Jordana, 2.
EL PEREGRINO. Hospital Militar, s/n.
PAPAMOSCAS. Llana de Afuera.
LOS GIGANTILLOS. Avda. del Cid, 19.
ACHURI. Moneda, 33.
AMBOS MUNDOS. Plaza de Vega, 37.
AEROPUERTO. Villafria de Burgos.
ARRIBAS. Defensores de Oviedo, 6.
BAMBU. Huerto del Rey, 3.
CARRALES. Puente Gasset, 4.
CASA PEPE. San Cosme, 22.
CASTILLA. Plaza de Vega, 8.
COPACABANA. Carretera de Logroño.
ENCARNA. Huerto del Rey, 17.
FORNOS. Merced, 12.
FUENTES BLANCAS. Parque Fuentes Blancas.
HOGAR DE LA RIOJA. Lain Calvo, 37.
MADRID. San Pablo, 14.
MAYORAL. San Pablo, 16.
MIAMI. Vitoria, 53 bis.
MIRAFLORES. Cartuja, 4.
EL MORENO. La Ventilla.
NERVION. Avda. del Cid, 1.
PARIS. Vitoria, 43.
POLVORILLA. Plaza Calvo Sotelo, 10.
ROBERTO CANDUELA. Villafria.
SEDANO. Avda. del Cid, 45.
SUR. Defensores de Oviedo, 3.
LA TERRAZA. Pisones, 1.
LA TESORERA. Vitoria, 79.
VEGAS. Villafria de Burgos.
LAS VEGUILLAS. Paseo de La Quinta.
LA VENTILLA. La Ventilla.
VILLALUENGA. Lain Calvo, 20.
ASADERO CABORNERO. Vitoria, 229.
JOMA. Plaza Rey San Fernando.
SAN FRANCISCO. San Francisco, 4.
SAN CRISTOBAL. Ctra. Madrid, 10.
LA BODEGA. Ctra. Madrid-Irún, km 235.
AITOR. Madrid, 69.
EL PEREGRINO. Hospital Militar, s/n.
ZATORRE. Burguense, 24.

Frómista

HOSTAL LOS PALMEROS.

Villalcázar de Sirga

MESON VILLASIRGA. Plaza del Generalísimo, s/n.

Carrión de los Condes

MESON PISARROSAS. Piña Blasco, 27.

Sahagún

LA CODORNIZ. Avda. José Antonio, 93.
LUNA. Avda. José Antonio, 35.
SERGIO. Plaza Generalísimo, 7.

Mansilla de las Mulas

CASA MARCELO. Postigo, 1.

EL HORREO DEL TIO FAICO. Avda. Valladolid, 58.
LOS ASTURIANOS. Ctra. Madrid, s/n.

León

ADONIAS POZO. Santa Nonia, 16.
ALCAZAR. Alcázar de Toledo, 8.
LOS CANDILES. Avda. Independencia, 11.
BODEGA REGIA. Plaza San Martin, 8.
CASA POZO. Plaza San Marcelo, 15.
CASA TEO. La Iglesia, 17. (San Andrés.)
EL APERITIVO. Fuero, 3.
EL DOS DE MAYO. Rúa, 5.
EL EJE. San Juan de Dios, s/n. (San Andrés.)
EL PALOMO. Escalerilla, 8.
EL PARAISO. Avda. Rodriguez Pandiella, s/n. (Trobajo del Camino.)
EL PASO. Avda. Madrid, 114.
EL SELLA. Juan Madrazo, 2.
EMPERADOR. Santa Nonia, 2.
FORNOS. Cid, 8.
GUZMAN. L. Castrillón, 6.
LA BARRA. Avda. Palencia, 2.
LAS MEDULAS. Avda. Madrid, 10.
LOS ANGELES. Ctra. León-Astorga, 6. (Trobajo del Camino.)
MESON GABI. Ponce de Minerva, 11.
MESON LAR GALLEGO. Rúa, 24.
MESON SAN MARTIN. Plaza San Martin, 8.
NOVELTY. Avda. Independencia, 2.
PABLO. Avda. División Azul, 7. (Armunia.)
PEÑA URBIÑA. Avda. Madrid, 20.
QUINDOS. Avda. José Antonio, 26.
RUTA ASTURIAS. Ctra. Asturias, s/n.
SOTOMAYOR. Avda. Ramón y Cajal, 9.

Hospital de Orbigo

AVENIDA. Avda. José Antonio, 31.
ORBIGO. Puente de Orbigo, s/n.
PASO HONROSO. Ctra. León-Astorga, s/n.

Astorga

CORUÑA. Avda. Ponferrada, 22.
DELFIN. Ctra. Madrid-La Coruña, s/n.
EL MARAGATO. Peñicas, s/n.
GARCIA. Bajada del Postigo, 5.
LA PEREGRINA. Ctra. de Santa Colomba, s/n.
LA PESETA. Señor Ovalle, 6.
QUIÑONES. Celada de la Vega, s/n.
PEÑICAS. Peñicas, s/n.
RIO. Señor Ovalle, 4.
TELENO. Duque de Ahumada, 3.
VIRGINIA. Plaza General Santocildes, 16.

Ponferrada

A. PALLOZA. Vía Nueva, 1.
AUTO BAR. Onésimo Redondo, 4.
BAHIA. Pasaje Matachana, 5.
EL MESON REAL. Molinaseca, s/n.
ESTACION RENFE. Estación, s/n.

FONTEBOA. Ctra. Madrid-La Coruña, 91.
MONTEMAR. Avda. Astorga, 3.
NIZA. Plaza de Julio Lazurtegui, 2.
OLEGO. Fernando Miranda, 4.
RIO GRANDE. Marcelo Macias, 8.
RIOS BAJOS. Cervantes, 16.
ROMA. Batalla de Lepanto, 6.
RUGANTINO. Fueros de León, s/n.
SAN MIGUEL. Luciana Fernández, 2.
TEMPLE. Avda. Portugal, 2.

Cacabelos

GATO. Avda. José Antonio, 85.
LA RUTA. Calvo Sotelo, 13.

Villafranca del Bierzo

LA CHAROLA. Doctor Arén, 19.
PONTERREY. Doctor Arén, 17.
STOP. El Salvador, 36.
VENECIA. Ctra. General, s/n.

El Cebrero (Piedrafita)

SAN GIRALDO DE AURILLAC. Cebrero, s/n.

Triacastela

PIÑEIRO. Avda. Generalisimo, 12.

Sarria

EL FARO. Diego Pazos, 51.
LITMAR. Calvo Sotelo, s/n.
MESÓN DA CARRETA. Ctra. Samos, 161.

Portomarín

PEIXE. Portomarín, 23.
POSADA DEL CAMINO. Plaza Mayor, s/n.

Santiago de Compostela

RELAIS HOTEL REYES CATÓLICOS. Plaza de
    España, 1.
ALAMEDA. Avda. de Figueroa, 15.
AMOR. Rosalia de Castro, 96.
MARISQUERIA RESTAURANTE ANEXO VI-
    LLAS. Avda. de Villagarcía, s/n.
ARZUANA, LA. Calle del Franco, 28.
AS DE COPAS. Rosalia de Castro, 100.
ASESINO. Plaza del Instituto, 16.
AEROPUERTO. Aeropuerto Labacolla.
BOMBERO, EL. Calle del Franco, 57.
DON GAIFEROS. Rúa Nueva, 23.
CASERIO., E. Bautizados, 13.
CUBA, A. Gral. Franco, 49.
CONTINENTE, EL. Salgueriños, 5.
CRECHAS, LAS. Eduardo Pondal, 8.
ESTANCO, EL. Gral Franco, 26.
FRANCO, EL. Calle del Franco, 28.
FORNOS. Gral. Franco, 24.
MONTERREY. Fontiñas, 33.
NOYESA, A. General Pardiñas, 3.
PASAJE, EL. Calle del Franco, 54.

PATIO, EL. Calle del Franco, 33.
PAZ NOGUEIRA. Castileiriño, 24.
PICO SACRO. San Francisco, 8.
RAPIDO, EL. Calle del Franco, 22.
SAN CLEMENTE. San Clemente, 6.
SAN JAIME. Raiña, 4.
SANTA COMBA. Calle del Franco, 20.
SUBMARINO. Calle del Franco, 49.
SIXTO. Calle del Franco, 43.
T. B. Estación de Autobuses.
TACITA DE ORO. Gral. Franco, 31.
VILAS. Rosalia de Castro, 88.
VICTORIA, Bautizados, 5.

ESTACIONES DE SERVICIO
STATIONS SERVICE
PETROL STATIONS
TANKSTELLEN MIT SERVICE

JACA. Ctra. Zaragoza-Francia, km 159,5.
PAMPLONA. Pl. Principe Viana.
PAMPLONA. Avda. de Zaragoza.
PAMPLONA. Barrio de la Magdalena.
PAMPLONA. Avda. Carlos III, 33.
PAMPLONA. Ctra. Tudela-Zaragoza.
SANGUESA. Calle Mayor, 16.
PUENTE LA REINA. Ctra. Pamplona-Logroño,
    km 23,6.
ESTELLA. Ctra. Pamplona-Logroño, km 45.
ESTELLA. Inmaculada, 14.
VIANA. Ctra. Medinaceli-Pamplona, km 81,4.
LOGROÑO. Avda. del General Franco-Ctra. Za-
    ragoza.
LOGROÑO. Calle de Vara del Rey.
LOGROÑO. Ctra. Zaragoza-Miranda de Ebro,
    km 163.
LOGROÑO. Ctra. Madrid-Pamplona, km 332, 6.
LOGROÑO. Ctra. Logroño-Cabañas, km 1,7.
LOGROÑO. Ctra. Vinaroz-Vitoria-Santander,
    km 9,6.
LOGROÑO. Ctra. Medinaceli-Pamplona-San
    Sebastián, km 336.
NAVARRETE. Ctra. Vinaroz-Vitoria-Santander,
    km 6,7.
NÁJERA. Calle Calvo Sotelo, 3.
NÁJERA. Ctra. Burgos-Logroño, km 88,4.
SANTO DOMINGO DE LA CALZADA. Ctra.
    Burgos-Logroño, km 69.
SANTO DOMINGO DE LA CALZADA. Ctra.
    Logroño-Burgos-Vigo, km 43,9.
BURGOS. Calle Madrid, 45.
BURGOS. Ctra. Burgos-Valladolid, km 1,2.
BURGOS. Ctra. Madrid-Irún, km 240.
BURGOS. Ctra. Madrid-Irún, km 233,9.
BURGOS. Ctra. Madrid-Irún, km 235,1.
BURGOS. Ctra. Burgos-Portugal, km 1,1.
FRÓMISTA. Ctra. Palencia-Santander, km 41,7.
CARRIÓN DE LOS CONDES. Ctra. Palencia-
    Pinamayor, km 278,7.
CARRIÓN DE LOS CONDES. Ctra. Logroño-
    Vigo, km 200,1.

SAHAGUN. Ctra. Sahagún-Palencia, km 0,1.

MANSILLA DE LAS MULAS. Ctra. Adanero-Gijón, km 308,5.

LEÓN. Ctra. Adanero-Gijón, km 325,150.

LEÓN. Calle Suero Quiñones.

LEÓN. Ctra. Madrid-León, km 324.

HOSPITAL DE ORBIGO. Ctra. León-Astorga, km 30,7.

ASTORGA. Plaza de Porfirio López.

ASTORGA. Ctra. Madrid-La Coruña, km 326.

PONFERRADA. Comendante Manso.

PONFERRADA. Ctra. Madrid-La Coruña, km 393,7.

PONFERRADA. Ctra. Madrid-La Coruña, km 390,3.

CACABELOS. Ctra. Madrid-La Coruña, km 406.

VILLAFRANCA DEL BIERZO. Pl. Constitución, 27.

SAMOS. Ctra. Triscantela-Piedrafita, km 13,2.

SARRIA. Ctra. Samos-Sarria, km 0,8.

SARRIA. Ctra. Lugo-Orense, km 23,8.

PORTOMARÍN. Ramal de la N-540 a Portomarín.

SANTIAGO. Ctra. La Coruña-Santiago, km 61,9.

SANTIAGO. Ctra. La Coruña-Vigo, km 63,4.

SANTIAGO. Ctra. Enlace Orense-Santiago.

SANTIAGO. Ctra. La Coruña-Tuy, km 67,9.

INDICE

MAR

EL FERROL

LA CORUÑA

LUARCA

VILLAVICIOSA

BETANZOS

MONDOÑEDO

OVIEDO

RIBADESEL

SANTIAGO DE
OMPOSTELA

FONSAGRADA

MIERES

ARZUA

LUGO

CANGAS DE ONIS

VILLAFRANCA
DEL BIERZO

SARRIA

LEON

ASTORGA

CARRION DE
LOS COND

PONFERRADA

ORENSE

SAHAGUN

FROMISTA

VIGO

TUY

VERIN

SANABRIA

BRAGA

CHAVES

ZAMORA

camino
de
Santiago